KB185652

뇌박사 박주홍의 두뇌운동 365

그림그림 대작전

9세부터 99세까지 뇌를 건강하게 하는
두뇌 개발 프로그램

뇌박사 박주홍의 두뇌운동 365

그림그림 대작전

2022년 1월 25일 초판 1쇄 발행
2023년 1월 3일 초판 2쇄 발행

지은이 박주홍
펴낸이 조시현
기획·진행 북케어(icaros2999@gmail.com)
디자인 정유정
일러스트 김가영

펴낸 곳 도서출판 일월일일
출판등록 2013. 3. 25(제2013-000088호)
주소 04019 서울시 마포구 동교로8안길 14, 미도맨션 4동 301호
대표전화 02) 335-5307 **팩스** 02) 3142-2559
전자우편 publish1111@naver.com
인스타그램 @0101book_

ISBN 979-11-90611-16-9 13690

• 독자 여러분의 의견과 참여를 기다립니다. (publish1111@naver.com)

한의학박사·의학박사·보건학석사 박주홍 지음

그림그림 대작전

일월이일

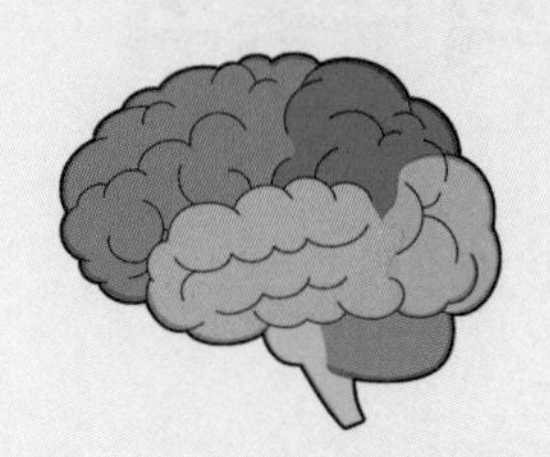

두뇌연구소에 오신 것을 환영합니다.

뇌 건강은 나이가 들수록 더 중요합니다. 특히 중년 이후 건강하게 생활하면 치매에 걸릴 위험이 크게 줄어든다는 사실이 과학적으로 입증되었습니다. 그런데 요즈음은 청소년이나 젊은 사람도 디지털 기기에 갈수록 더 많이 의존함으로써 기억력과 계산 능력이 퇴화하는 디지털 치매나 잦은 음주로 인한 블랙아웃으로 알코올성 치매를 겪는 경우가 많습니다.

뇌가 건강하려면 감정의 뇌라 할 수 있는 '마음'과 뇌를 지탱해 주는 '몸'이 균형을 이루어야 합니다. 마음이 무너지면 몸이 망가지고, 몸 상태가 좋지 않으면 뇌도 당연히 건강할 수 없습니다.

매일 꾸준히 운동을 하면 근육이 발달하는 것처럼 뇌도 날마다 즐겁고 재미있게 자극해 주면 건강하게 단련됩니다. 그래서 두뇌를 단련하여 불안과 우울감을 해소하고 스트레스까지 한방에 날려버릴 수 있도록 다양한 프로그램을 제공하려고 합니다.

스도쿠, 미로 찾기, 숨은 그림 찾기, 낱말 퀴즈와 같이 한 가지 주제로만 구성하면 뇌가 단련되기도 전에 지루해져 책을 끝까지 활용하지 못하고 중도에 포기하는 경우가 있습니다. 이런 단점을 보완하고자 ≪뇌박사 박주홍의 두뇌운동 365≫ 시리즈에서는 미로 찾기, 틀린 그림 찾기 등과 같은 문제들뿐만 아니라 글자, 모양, 숫자, 그림을 다양하게 활용한 프로그램은 물론 일상에서 만나는 생활형 문제까지 모두 재구성해서 담았습니다.

특히 이 책 〈그림그림 대작전〉에서는 관심 있는 개체를 바라보는 행위를 하는 전두엽의 기능 활성화, 공간 기억의 저장과 방향을 알 수 있게 하는 두정엽의 기능 활성화, 소리와 이미지를 이해하고 통합하는 측두엽의 기능 활성화에 초점을 맞추었습니다.

매일 다른 문제를 풀면서 색다른 즐거움으로 사고력과 창의력을 길러 보세요. 뇌가 골고루 활성화되어 집중력이 향상되고 정서가 안정됩니다. 이런 과정을 통해 우리의 생각, 판단, 운동, 감각 등을 담당하는 뇌가 더욱 건강해져 활발하게 움직입니다.

요즘 나이와 상관없이 '왜 이렇게 깜빡깜빡하지, 혹시 나도 치매인가?'라는 의심을 해 본 분들이 많을 것입니다.

'IT 건망증'으로도 불리는 디지털 치매(digital dementia)는 스마트폰이나 컴퓨터 같은 디지털 기기에 의존한 나머지 자신도 모르는 사이에 집중력과 학습 능력이 떨어지고 계산 능력과 기억력이 감퇴하는 현상을 말합니다. 디지털 치매가 생활에 심각한 위협이 될 만큼 위험도가 높지는 않지만, 스트레스를 유발하며 공황장애나 정서장애와 같은 뇌 질환으로 이어질 수 있습니다. 이때 계산, 암기 문제를 풀거나 퍼즐을 활용하면 디지털 치매의 예방과 완화에 적잖은 도움이 됩니다.

소중한 뇌를 잘 돌보고 지키려면 뇌세포들의 연결성을 강화해 주어야 합니다. 이 책에 있는 퀴즈 프로그램을 활용하여 매일 꾸준히 하다 보면 세포들의 연결성이 좋아집니다.

부디 뇌가 노화하지 않고 건강하게 유지될 수 있도록 하루 30분 즐거운 뇌 운동으로 100세까지 활력 넘치는 인생을 유지하시기 바랍니다.

건강하게 사는 행복한 세상을 바라며

한의학박사·의학박사·보건학석사 **박주홍**

목차

1주차

1day 같은 그림 찾기 · 16
틀린 그림 찾기 · 17
사방팔방 그리기 · 18
그림자 찾기 · 19
2day 눈을 크게 뜨고 찾기 · 20
모눈종이 따라 그리기 · 21
바뀐 부분 찾아 쓰기 · 22
빠짐없이 선 잇기 · 23
3day 그림그림 덧셈 뺄셈 · 24
사라진 그림 찾기 · 25
사다리 타고 친구 찾기 · 26
장난감 화폐 계산하기 · 27
4day 미로 찾기 · 28
점선 잇기 · 29
편하게 그려 보기 · 30
칠교놀이 조각 찾기 · 31
5day 다른 그림 찾기 · 32
모두 몇 마리? · 33
요리조리 훈민정음 · 34
똑같이 따라 그리기 · 35
6day 얼굴 그려 넣기 · 36
원고지 따라 쓰기 · 37
유쾌한 마음일기 · 38
겹친 블록 그려 보기 · 39
7day 벌집의 텍스트 찾아보기 · 40

2주차

1day 같은 그림 찾기 · 42
틀린 그림 찾기 · 43
사방팔방 그리기 · 44
그림자 찾기 · 45
2day 눈을 크게 뜨고 찾기 · 46
모눈종이 따라 그리기 · 47
바뀐 부분 찾아 쓰기 · 48
빠짐없이 선 잇기 · 49
3day 그림그림 덧셈 뺄셈 · 50
사라진 그림 찾기 · 51
사다리 타고 친구 찾기 · 52
장난감 화폐 계산하기 · 53
4day 미로 찾기 · 54
점선 잇기 · 55
편하게 그려 보기 · 56
칠교놀이 조각 찾기 · 57
5day 다른 그림 찾기 · 58
모두 몇 마리? · 59
요리조리 훈민정음 · 60
똑같이 따라 그리기 · 61
6day 얼굴 그려 넣기 · 62
원고지 따라 쓰기 · 63
유쾌한 마음일기 · 64
겹친 블록 그려 보기 · 65
7day 벌집의 텍스트 찾아보기 · 66

3주차

1day 같은 그림 찾기 68
틀린 그림 찾기 69
사방팔방 그리기 70
그림자 찾기 71

2day 눈을 크게 뜨고 찾기 72
모눈종이 따라 그리기 73
바뀐 부분 찾아 쓰기 74
빠짐없이 선 잇기 75

3day 그림그림 덧셈 뺄셈 76
사라진 그림 찾기 77
사다리 타고 친구 찾기 78
장난감 화폐 계산하기 79

4day 미로 찾기 80
점선 잇기 81
편하게 그려 보기 82
칠교놀이 조각 찾기 83

5day 다른 그림 찾기 84
모두 몇 마리? 85
요리조리 훈민정음 86
똑같이 따라 그리기 87

6day 얼굴 그려 넣기 88
원고지 따라 쓰기 89
유쾌한 마음일기 90
겹친 블록 그려 보기 91

7day 벌집의 텍스트 찾아보기 92

4주차

1day 같은 그림 찾기 94
틀린 그림 찾기 95
사방팔방 그리기 96
그림자 찾기 97

2day 눈을 크게 뜨고 찾기 98
모눈종이 따라 그리기 99
바뀐 부분 찾아 쓰기 100
빠짐없이 선 잇기 101

3day 그림그림 덧셈 뺄셈 102
사라진 그림 찾기 103
사다리 타고 친구 찾기 104
장난감 화폐 계산하기 105

4day 미로 찾기 106
점선 잇기 107
편하게 그려 보기 108
칠교놀이 조각 찾기 109

5day 다른 그림 찾기 110
모두 몇 마리? 111
요리조리 훈민정음 112
똑같이 따라 그리기 113

6day 얼굴 그려 넣기 114
원고지 따라 쓰기 115
유쾌한 마음일기 116
겹친 블록 그려 보기 117

7day 벌집의 텍스트 찾아보기 118

두뇌 칼럼

뇌의 구조와 역할을 알아봅시다!

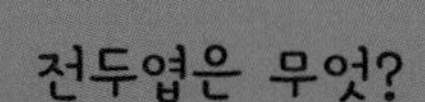

전두엽은 무엇?

머리 앞부분 즉, 이마 부위를 중심으로 한 대뇌의 겉질 부분을 말합니다.
주로 어떤 일을 계획하고, 적절하게 실행하고, 또 너무 지나치지 않도록 제어하는 일을 합니다.
의욕, 동기, 방법, 판단력, 융통성, 자제력 등을 실행하는 부분입니다.

측두엽은 무엇?

우리가 보통 '관자놀이'라고 부르는 부위입니다.
뇌의 양 측면 피질을 말하는데,
이 부분은 치매의 이해에 중요한 곳입니다.
기억력이 떨어지고 언어 표현과 이해 능력이 떨어져 가는 원인을 제공하는 곳이기 때문입니다.
측두엽 부위의 신경세포가 죽어서 없어지는 것 때문에 알츠하이머병의 증상이 생겨납니다.
기억력, 학습 능력, 언어 능력 등을 담당합니다.

두정엽은 무엇?

머리(頭)의 정수리(頂) 부분이라는 뜻을 가지고 있습니다.
공간을 파악하는 능력을 갖추고 있습니다.
낯선 장소에서의 방향을 파악하거나, 아날로그 시계의 바늘 위치로 몇 시 몇 분인지를 바로 파악할 수 있는 것은 두정엽이 작용하기 때문입니다.

후두엽은 무엇?

뒤통수 부분에 해당하는 피질 부위를 말합니다.
주로 시각적인 내용을 파악합니다.
사물을 보고 주변의 물건들을 파악하는 것은 이곳의 기능이 온전하므로 가능한 것입니다.

변연계와 해마는 무엇?

둘레, 또는 가장자리를 의미하는 변연계(limbic system)는 대뇌피질과 시상하부 사이에 있습니다.
주로 후각, 감정, 행동, 욕망 등의 조절에 관여하고 있습니다.
변연계의 한 가운데를 차지하고 있는 해마는 특히 장기기억, 공간개념, 감정적인 행동을 조절하는 곳으로 알려져 있습니다.
안타깝게도 해마는 알츠하이머병에 의해 점진적으로 위축이 진행되는 것으로 알려져 있습니다.

두뇌 칼럼

뇌를 골고루 사용합시다!

뇌는 우리의 생각, 판단, 운동, 감각 등을 담당하는 매우 중요한 기관입니다. 보통 성인의 뇌 무게는 약 1,400~1,600g 정도입니다. 약 1,000억 개 정도의 신경세포가 밀집된 신경 덩어리로, 일반적으로 전체 몸무게의 약 2% 정도에 불과하지만, 우리 몸 전체 에너지의 20%에 가까운 양을 사용하는 기관입니다.

뇌는 신경세포와 신경교세포(glial cell)라고 하는 두 종류의 세포들이 모여 있는 덩어리입니다. 이 중에서 신경세포가 주로 신체활동과 정신활동을 담당합니다. 신경세포의 몸체는 주로 뇌의 겉껍질 부분에 모여 있어서 이 부분을 피질(cortex) 혹은 회백질(gray matter)이라고 부릅니다. 반면 신경세포의 몸체에서 뻗어 나온 가지들은 신경섬유 다발을 이루고 있는데, 색깔이 희고 윤기를 띠고 있어서 백질(white matter)이라고 합니다.

뇌 건강을 지키기 위해서는 앞쪽(전두엽), 위쪽(두정엽), 측면(측두엽), 뒤쪽(후두엽)을 골고루 사용하는 것이 좋습니다. 팔만 튼튼하다고 해서 온몸이 건강하다고 할 수 없듯이 뇌도 마찬가지로 어느 한 부분만 사용해서는 건강을 유지할 수 없습니다.

위치별로 뇌가 하는 일이 다르므로 쓰는 부분만 쓰고 쓰지 않는 부분은 계속해서 사용하지 않는다면 반드시 문제가 생깁니다. 그러므로 적극적으로 골고루 써야 합니다. 또 좌뇌와 우뇌를 의식하면서 양쪽 모두 균형 있게 사용하는 노력이 필요합니다.

좌뇌	우뇌
신체의 오른쪽을 조절한다. 분석적, 논리적, 이성적, 객관적, 계획적, 청각적 기억, 시간 개념, 안전, 추론, 수리, 과학 쪽을 담당!	신체의 왼쪽을 조절한다. 통합적, 창의적, 감성적, 주관적, 즉흥적, 시각적 기억, 공간 개념, 모험, 직관, 예술 쪽을 담당!

오른손잡이인 사람들은 좌뇌 성향이 강하므로 우뇌를 활용하는 일을 틈틈이 할 필요가 있습니다. 마찬가지로 왼손잡이는 좌뇌를 활용해야 합니다. 운동이나 새로운 일에 대한 도전 등 뇌에 유익한 활동을 하면 누구나 효율적인 뇌를 가질 수 있다고 합니다.

대뇌피질은 컴퓨터의 하드디스크 본체와 같은 기억의 저장장치입니다. 손, 발 그리고 입과 혀, 눈의 자극이 그대로 뇌로 전달됩니다.

따라서 적절한 자극을 꾸준히 주어야 합니다. 이렇게 함으로써 대뇌피질의 두께가 얇아지지 않고 기억력이 유지되며 치매 예방도 가능해집니다.

지금이라도 부지런히 뇌를 전후좌우로 골고루 사용하는 습관을 들인다면 건강한 삶을 유지할 수 있으며, 자연히 치매도 저절로 멀어질 것입니다.

열심히 걷고, 열심히 보고, 열심히 생각하고, 열심히 노력해서 우리 모두 100세까지 건강하고 행복하게 삽시다!

숨 쉬는 건강한 뇌를 만드는 3·3·3 통합 치료 프로그램을 소개합니다.

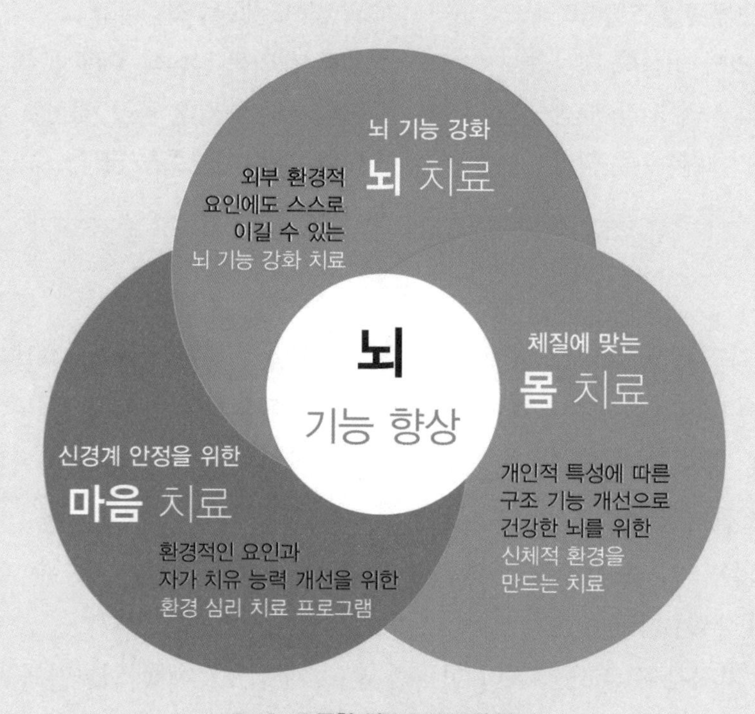

3·3·3 통합 치료 프로그램 목표

뇌, 마음, 몸!

이 세 가지는 동시적 치료가 이루어져야 악순환의 고리를 끊을 수 있습니다. 육체와 정신을 서로 분리해서 생각할 수 없듯이, 뇌와 마음과 육체는 서로 분리될 수 없습니다. 환경적인 요소로 몸의 균형이 무너지고, 다시 이 불균형은 뇌 기능에 영향을 주는 악순환이 반복됩니다. 따라서 인지 능력을 개선하기 위해서는 이런 반복적인 사슬을 끊고 뇌와 마음 그리고 몸의 동시적 치료가 이루어져야 합니다.

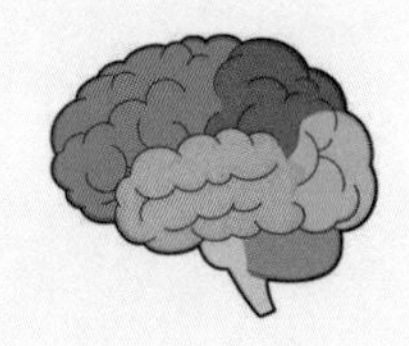

“동시적 통합 치료가 필요한 이유”

건강한 뇌를 이루기 위해서는 신체적인 뇌 기능 문제뿐만 아니라,
정신적인 뇌와 몸의 균형까지 바라보아야 완전한 뇌 건강을 이룰 수 있습니다.

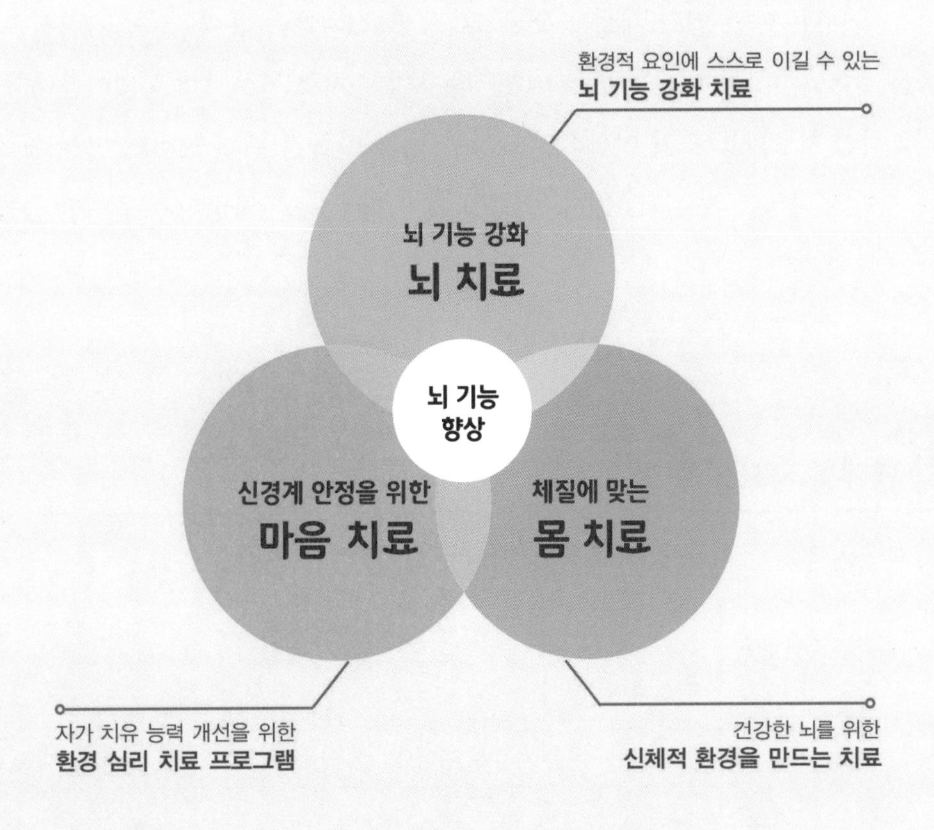

뇌, 마음, 몸의 악순환 고리를 끊는 치료

신체적인 뇌 기능의 문제가 정신적인 뇌 기능(마음)에 문제를 일으키고, 다시 몸의 균형을 해치는 등의 서로 물고 있는 악순환의 연결 고리를 끊기 위한 동시적 통합 치료가 반드시 필요합니다.

동시적 통합 치료를 위한 3 · 3 · 3 통합 치료 프로그램

동시적 통합 치료는 뇌, 마음, 몸의 3가지를 동시에 치료하는 것을 기본으로 하고 있습니다. 이는 인지 개선을 위한 3가지 요소(뇌에는 휴식을 주고, 지친 마음은 풀어 주며, 몸에 힘을 보충)의 3단계에 걸친 치료 프로그램을 의미합니다. 의학적인 치료와 더불어 이상적인 건강한 뇌를 만들기 위해 하버드 명상 치료 및 개인의 식생활, 습관, 운동법 관리 등 자가 치유 능력 향상까지 고려한 꼼꼼한 치료를 시행합니다.

단계별 목표와 변화

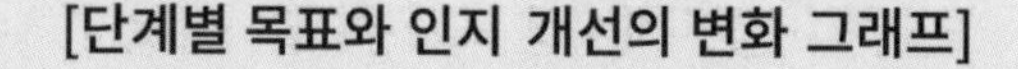
[단계별 목표와 인지 개선의 변화 그래프]

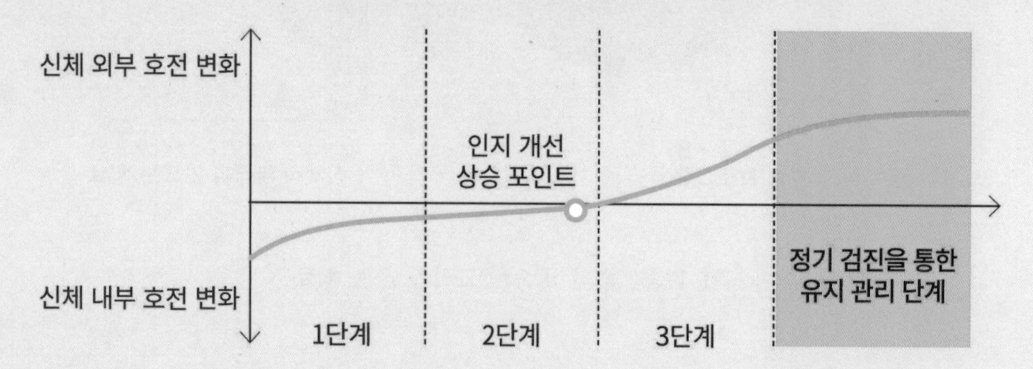

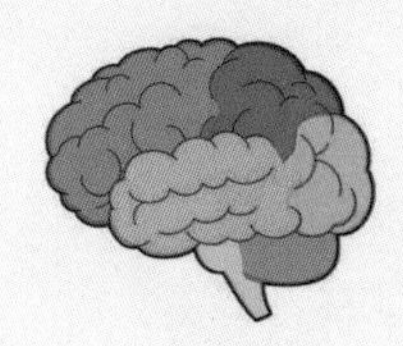

균형

1단계 : 체질 개선 – 뇌 건강을 위한 신체 환경을 만들어 주는 단계

치매가 발병하는 신체적인 원인과 잘못된 생활 습관을 찾고, 그 원인을 개선하는 단계입니다. 흐트러진 몸의 균형을 잡아 주어 건강한 뇌를 위한 신체 환경을 만들어 줍니다.

풀음

2단계 : 전신 해독 – 몸의 균형과 신경계 기능이 돌아오는 단계

몸의 기운 순환을 통해 몸 속 노폐물과 독소 등을 배출하는 단계로, 몸의 균형과 신경계의 기능이 점차 돌아오면서 면역력도 향상이 되는 터닝 포인트입니다.

보충

3단계 : 면역 증강 – 정신 면역력 강화 및 유지 발전

신체 면역력과 정신 면역력이 강화되어 외부 환경에 의한 스트레스 등을 스스로 이겨낼 수 있는 힘을 가지게 되는 단계입니다. 원기 보충과 지속적인 균형 치료로 건강한 뇌를 유지할 수 있도록 강한 신체 환경을 만듭니다.

3가지 통합 치료, 3단계에 걸친 인지 개선 치료를 통해 뇌와 몸과 마음이 모두 건강해집니다.

제 1 일
문제 1

같은 그림 찾기

월 일

주의 집중
시각적 내용 파악

세상에는 비슷한 모양의 것들이 많습니다. 하지만 자세히 보면 조금씩 다르다는 것을 알 수 있습니다. 어떤 것이 진짜 예시의 모양과 같은지 찾아보세요.

제 1 일
문제 2

틀린 그림 찾기

월 일

집중력/비교
변화 파악

틀린 그림 찾기는 누구나가 한 번 이상은 꼭 해 본 게임일 겁니다. 비슷한 그림이 위아래로 놓여 있습니다. 비교해 보면서 하나씩 틀린 그림을 찾아보세요. 틀린 곳은 모두 5곳입니다.

제 1 일
문제
3

사방팔방 그리기

월 일

위치/공간 파악
소근육 발달

네모난 거울은 왼쪽과 오른쪽이 서로 대칭을 이룹니다. 형상이 있는 쪽을 잘 보고 반대편에 똑같이 그려 주세요.

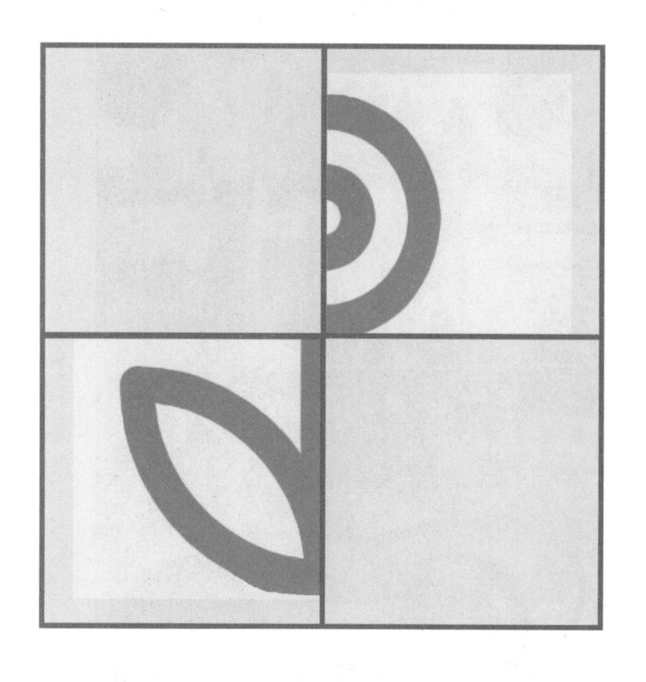

제 1 일
문제 4

그림자 찾기

월 일

시각 정보 수집
유추

빛이 있으면 반드시 그림자 생깁니다. 아래 그림 중에는 원래 모양이 빛을 받아서 생긴 진짜 그림자가 딱 하나 있습니다. 어떤 것이 진짜 그림자일까요? 튀어나오거나 들어간 모양을 잘 보고 찾아보세요.

제 2 일 문제 1

눈을 크게 뜨고 찾기

월 일

주의 집중
비교

다 똑같은 그림이라고요? 맞습니다. 딱 하나만 빼고요.
이렇게 많은 그림 중에서 단 하나의 다른 그림을 찾아보세요. 다른 모습을 하고 있는 양은 어디에 있을까요?

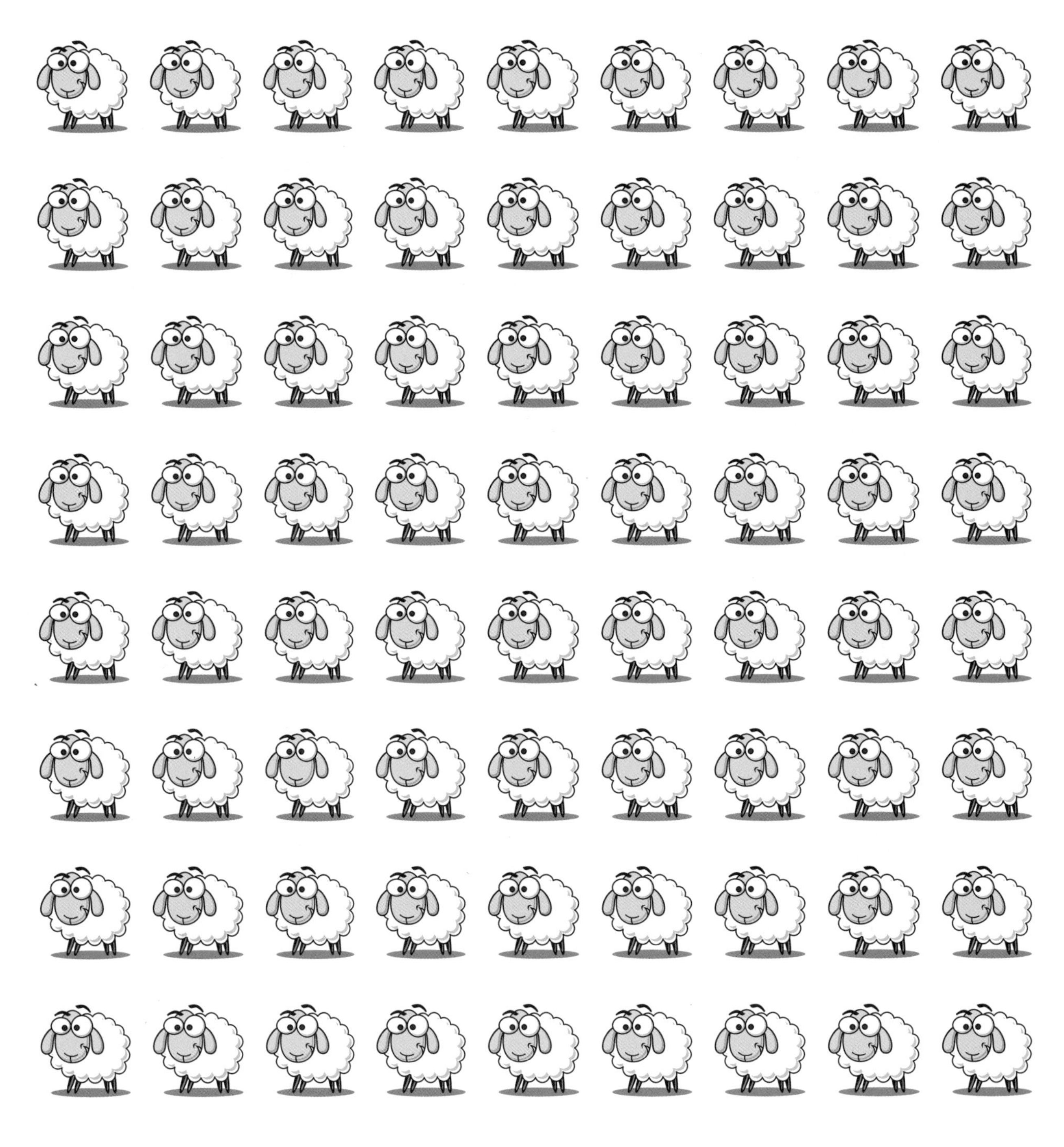

제 2 일 문제 2

모눈종이 따라 그리기

월 일

위치/모양 비교
소근육 발달

위쪽 모눈종이에 있는 기호를 아래쪽 빈 모눈종이의 같은 자리에 그대로 그려 주세요. 위와 아래가 똑같은 모눈종이가 될 수 있도록 제자리를 잘 찾아서 그려 주세요.

@			🕒				¤		
		$		●		◑		⚑	✚
♠			♨	♀				★	
		🔍				Ø			
💾	♥		▽		⤓			◐	

제 2 일
문제 3

바뀐 부분 찾아 쓰기

월 일

주의 집중
위치/모양 비교

위 그림과 아래 그림은 두 곳이 서로 달라요. 바뀐 부분을 찾아서 어떻게 달라졌는지 글로 표현해 보세요.

1

2

제 2 일 문제 4

빠짐없이 선 잇기

월 일

공간 파악
문제 해결

한붓그리기 해 본 적 있나요? 한 번 지나간 길은 다시 돌아가지 못합니다. 시작해서 끝날 때까지 한번에 빠짐없이 선으로 이어야 성공입니다. 빨간 점에서 출발해서 규칙대로 빠뜨리지 말고 선 긋기를 해 보세요. 생각보다 쉽지 않습니다. 천천히 길을 찾아보세요.

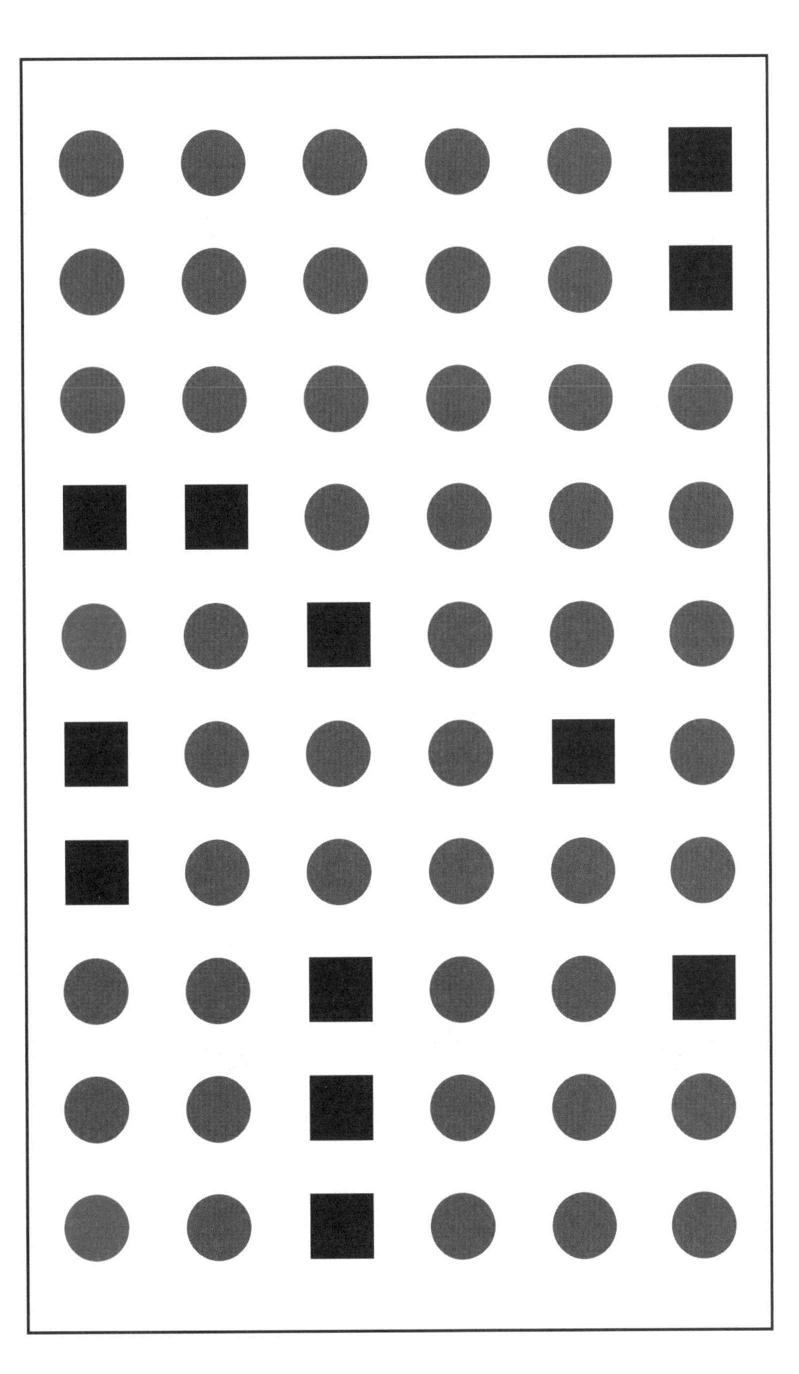

제 3 일
문제
1

그림그림 덧셈 뺄셈

월 일

시각적 내용 파악
계산

각각의 그림은 고유의 숫자 값을 가지고 있습니다. 그림을 더하거나 뺐을 때 나오는 값으로 각 그림의 값이 얼마인지 알아내어 마지막 문제의 답을 맞춰 보세요.

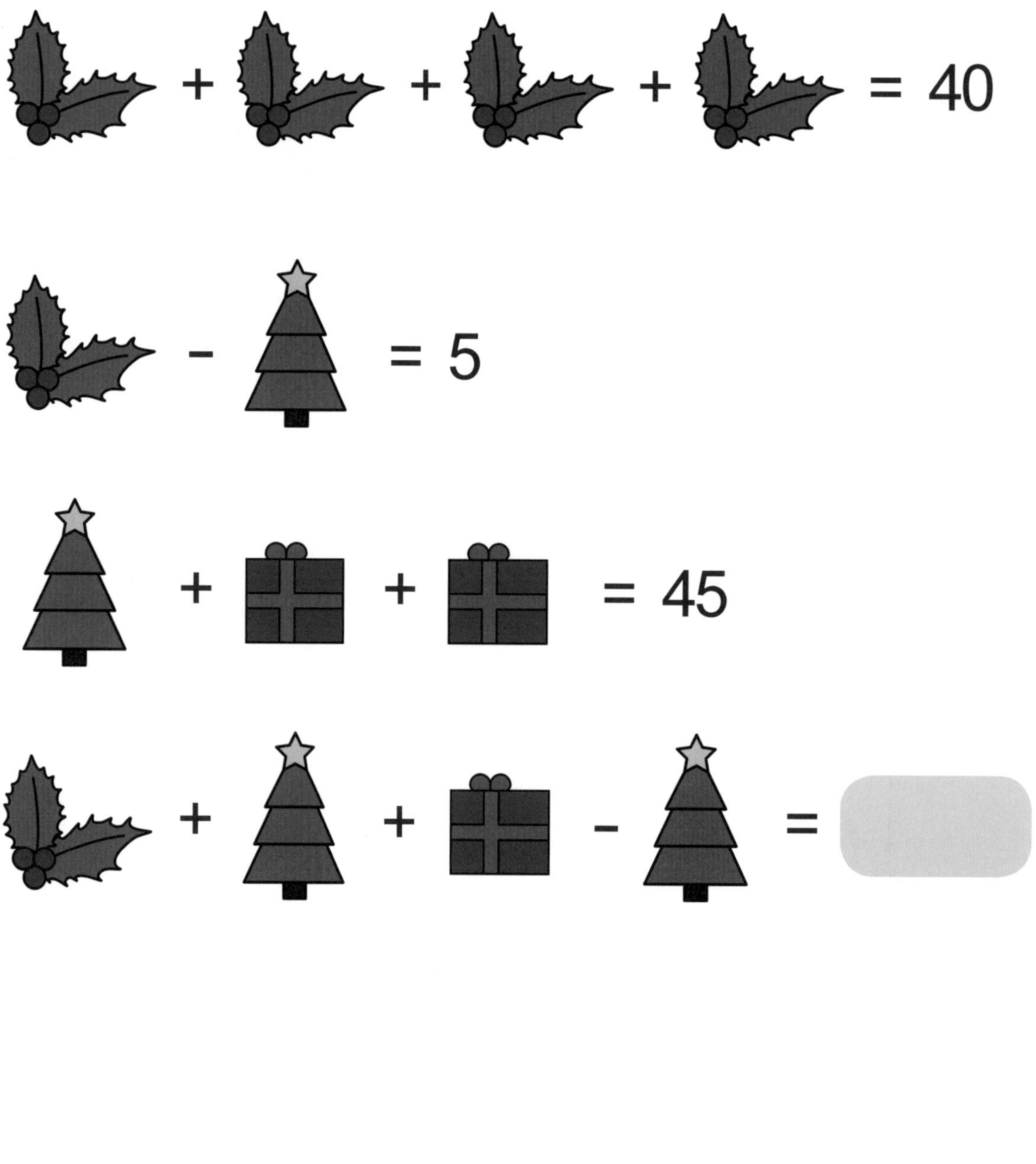

+ + + = 40

- = 5

+ + = 45

+ + - =

제 3 일
문제 2

사라진 그림 찾기

월 일

시각 정보 수집
유추

윗부분에는 있는 그림이 아랫부분에는 3곳 빠져 있네요. 과연 아랫부분에는 윗부분과 달리 어떤 그림이 빠져 있을까요? 윗부분에만 있는 그림에 동그라미 쳐 보세요.

제 3 일
문제 ③

사다리 타고 친구 찾기

월 일

유추
문제 해결

일돌이와 친구들은 애견카페에 놀러 갔어요. 멋지고 귀여운 강아지들이 친구하자고 반갑게 다가오네요. 일돌이가 불돌이에게, 이순이가 점박이에게 갈 수 있도록 사다리타기에 선을 그어 주세요.

제 3 일 문제 4

장난감 화폐 계산하기

월 일

셈 하기
물체 인식

우리는 일상생활에서 다양한 종류의 지폐와 동전을 사용합니다. 자, 그럼 오늘은 장난감 화폐를 이용해서 은행놀이를 해 볼까요? 화폐의 앞면과 뒷면을 자세히 살펴보세요. 지폐와 동전을 합한 금액은 모두 얼마일까요?

______ 원

제 4 일
문제 1

미로 찾기

월 일

공간 파악
문제 해결

여긴 어딜까요? 병아리들을 찾아나선 어미닭이 미로를 눈앞에 두고 있네요. 복잡한 길에서 헷갈리지 말고 무사히 도착지까지 갈 수 있도록 도와주세요. 길을 잃어버렸나요? 걱정하지 마세요. 다시 천천히 도전해 보세요. 그럼 출발!

점선 잇기

월 일

수 세기
문제 해결

귀여운 생쥐 그림이 있네요. 그런데 아직 완성된 것이 아닌가 봅니다. 여러분이 점을 따라 선을 그어서 그림을 완성해 보세요.
숫자 순서대로 차례차례 점을 연결해 보면 여러분이 예상한 그림이 만들어질 거예요.

편하게 그려 보기

월 일

스트레스 해소
소근육 발달

볼펜이나 색연필로 밑그림을 따라 그림을 멋지게 완성해 보세요. 희미한 선들이 또렷해지면 완성된 그림을 만날 겁니다. 그냥 아무 생각도 하지 말고 편하게 그려 보세요.

제 4 일
문제
4

칠교놀이 조각 찾기

월 일

위치/공간 파악
조립

7개의 조각으로 이루어진 도형을 이리저리 움직여 여러 가지 형상을 만드는 놀이로 탱그램이라고도 합니다. 7개의 조각을 이렇게 저렇게 놓아 보며 문제로 주어진 형태를 만들다 보면 상상력이 풍부해지고 만족감도 높습니다. 여우 모양처럼 각각의 조각이 어떤 것인지 선을 그어 구분하고 번호를 써 보세요.

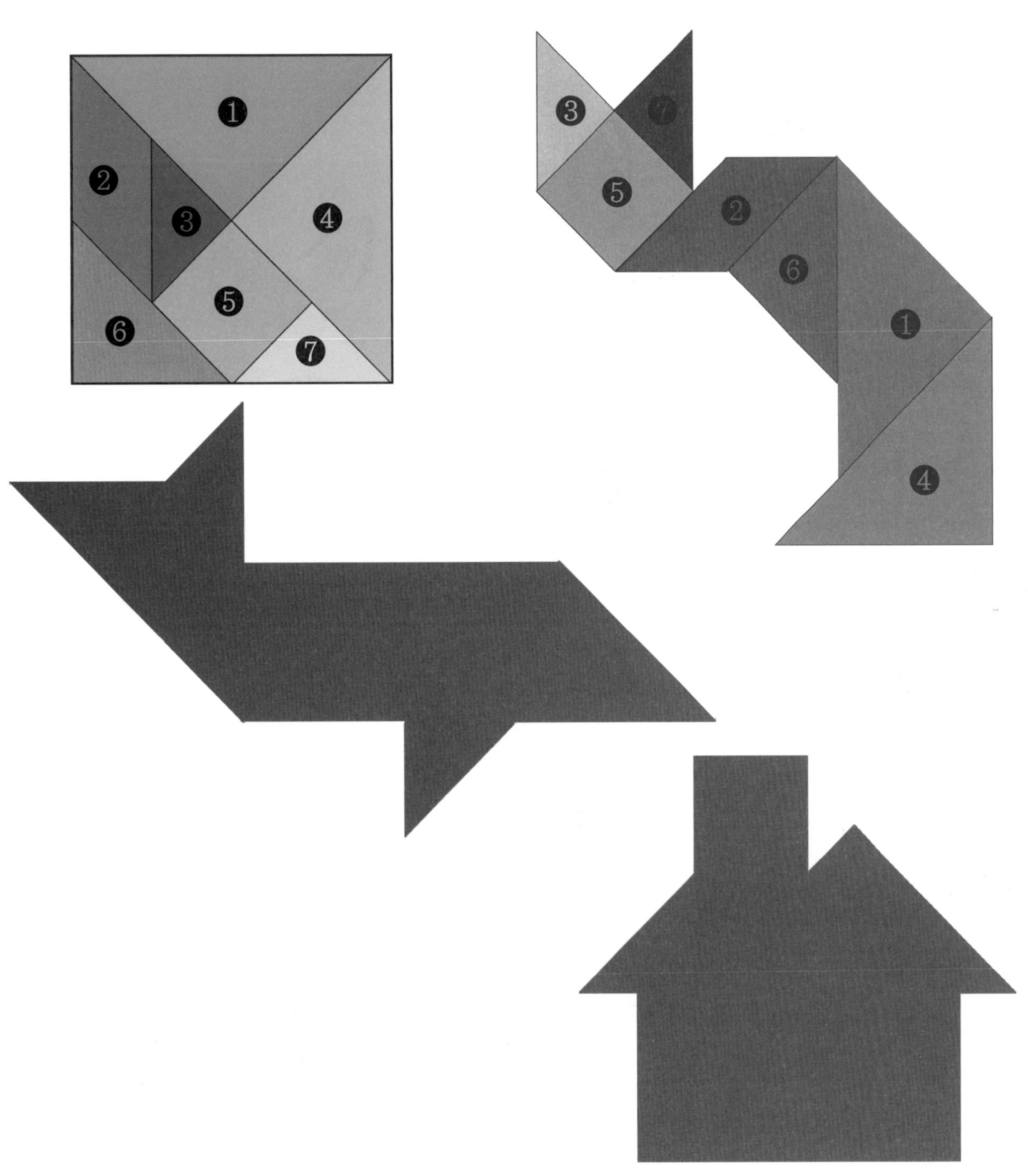

제 5 일 문제 1

다른 그림 찾기

월 일

주의 집중
비교

다 똑같은 그림 아닌가요? 정말 그렇게 생각하세요?
자세히 보면 딱 하나만 다른 모양이나 색깔을 가집니다. 빨리 찾으려다 보면 더 헷갈립니다. 찬찬히 잘 들여다보세요.

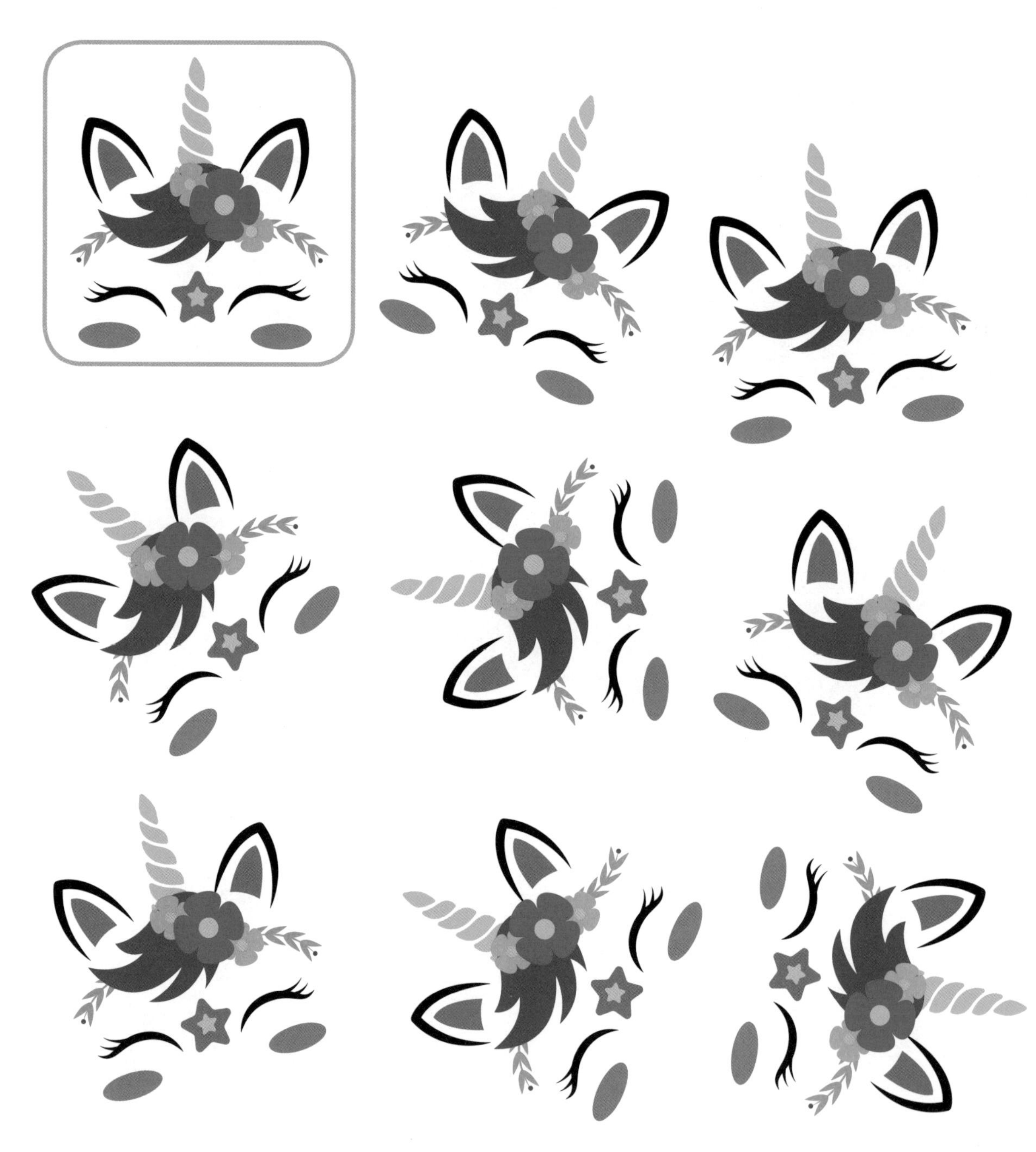

제 5 일
문제 2

모두 몇 마리?

월 일

셈 하기
물체 인식

와! 정말 다양한 종류의 개들이 모여 있네요. 종류별로 몇 마리씩 있는지 세어서 적어 보세요. 세다가 헷갈리면 처음부터 다시 세어야 하므로 주의하세요!

제 5 일
문제 3

요리조리 훈민정음

월 일

언어 분석
언어 조합

아래 주어진 자음과 모음으로 여러분이 알고 있는 단어를 만들어 아래 빈 칸에 써 보세요. 생각보다 많은 단어가 숨어 있습니다. 매일매일 다시 보아도 더 찾을 수 있을 정도랍니다.

ㅇ	ㅈ	ㅎ	ㄱ	ㅍ
ㄷ	ㄹ	ㅁ	ㅅ	ㅊ
ㅏ	ㅓ	ㅗ	ㅠ	ㅡ
ㅕ	ㅛ	ㅜ	ㅑ	ㅣ

예 오징어

똑같이 따라 그리기

월 일

공간 파악
소근육 발달

위의 그림을 보고 점과 선의 간격을 잘 파악해서 아래에 똑같이 그려 보세요. 전후좌우 방향과 선 길이에 주의하세요.

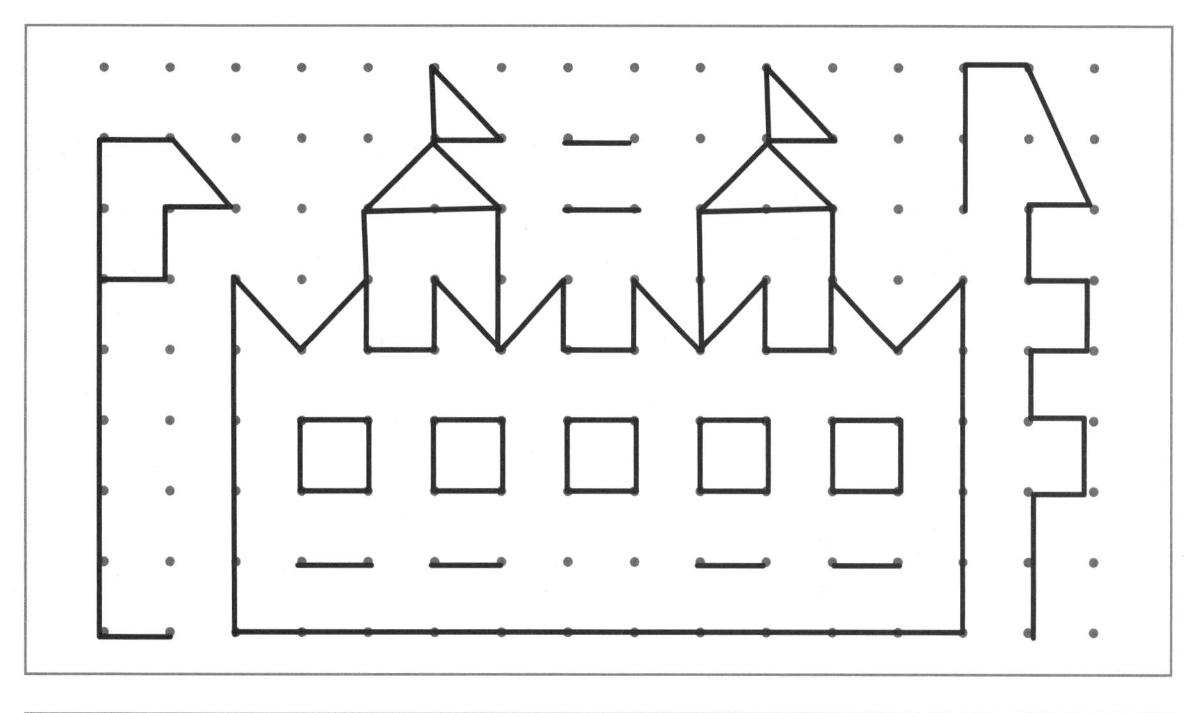

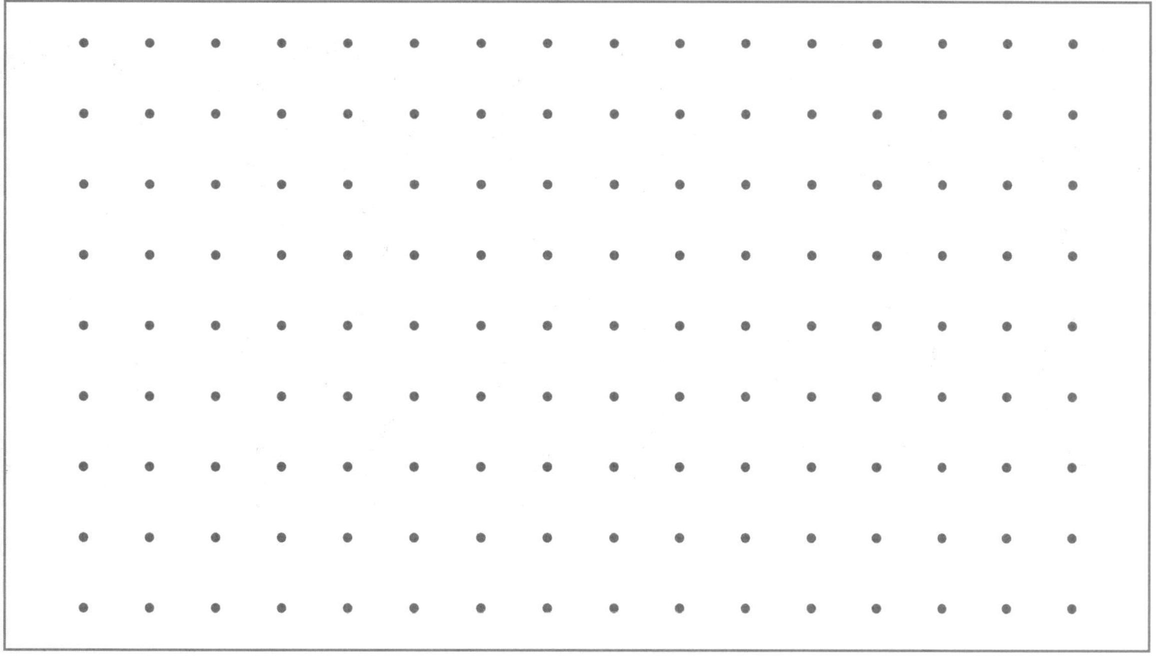

제 6 일 문제 1

얼굴 그려 넣기

월 일

시각적 내용 파악
소근육 발달

'동그라미 그리려다 무심코 그린 얼굴'이란 노래가사를 아시나요? 그 반대로 이번에는 그냥 동그라미만 있는 얼굴 모양에 위의 얼굴을 따라 그려 보세요.

제 6 일
문제 ②

원고지 따라 쓰기

월 일

위치 파악
소근육 발달

원고지에 글을 써 본 적 있으세요? 이제는 주변에서 보기 쉽지 않지만, 원고지 글쓰기를 하면 글자의 소중함을 알게 되고 주의 집중도 잘 된답니다. 위 원고지에 쓰인 글자를 잘 보고 아래 빈 원고지에 한 칸에 한 글자씩 또박또박 써 보세요.

사	랑	을		하	는		자	의		첫		번	째
조	건	은		그		마	음	이		순	결	해	야
한	다	.		상	대	방	의		인	격	을		존
중	하	지		않	고	는		진	실	한		연	애
라	고		할		수		없	다	.		그	리	
고		그		마	음	과		뜻	이		흔	들	림
이		없	어	야		한	다	.					

유쾌한 마음일기

월 일

명상
스트레스 해소

오늘 하루 중에 있었던 기분 좋은 일을 자세하게 써 보세요. 기분 좋은 일은 한 가지일 수도 있고, 여러 가지일 수도 있습니다. 그 중에 제일 기분 좋았던 일을 기록해 보세요.

1. 어떤 기분 좋은 일이 있었나요?

2. 기분 좋은 일을 경험하는 동안 몸으로 느낀 감각을 자세히 기록해 봅니다.

3. 지금 마음일기를 쓰는 심정을 기록해 보세요.

제 6 일
문제 4

겹친 블록 그려 보기

월 일

공간 파악
유추

가로 세로 5*5의 정사각형 안에는 두 가지 색 블록이 서로 다른 모양으로 공간을 차지하고 있습니다. 만약 위에서부터 아래로 밝은 색 블록을 더하거나 빼면 어떤 모양의 블록이 될까요? 빗금으로 표현해 보세요.

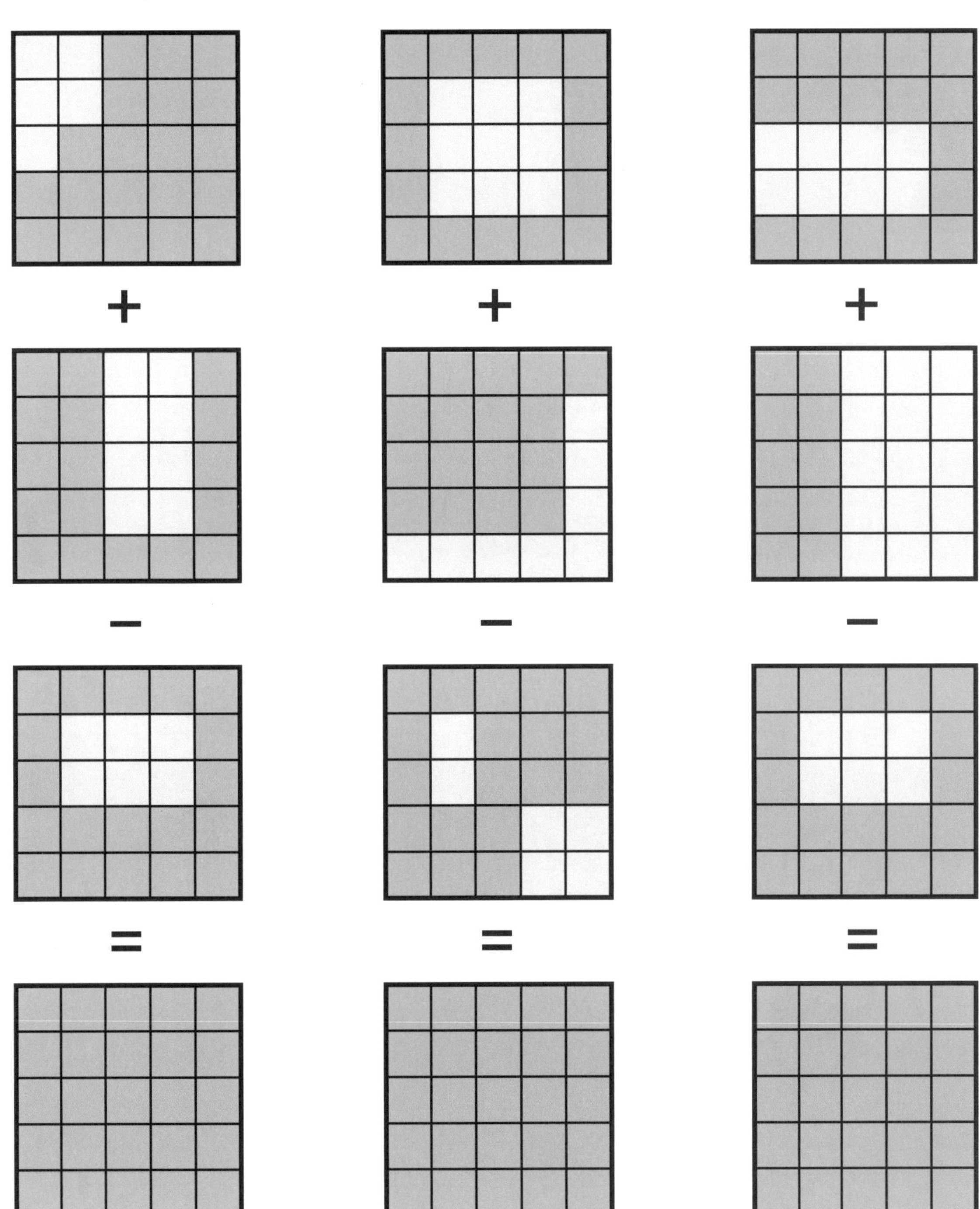

제 7 일 문제 1

벌집의 텍스트 찾아보기

꿀벌들이 벌집으로 꿀과 꽃가루를 가져와 저축합니다. 아! 그런데 자세히 보니 꿀벌들이 가져오는 꿀이나 꽃가루마다 해당하는 한글이나 알파벳 그리고 숫자가 있네요.

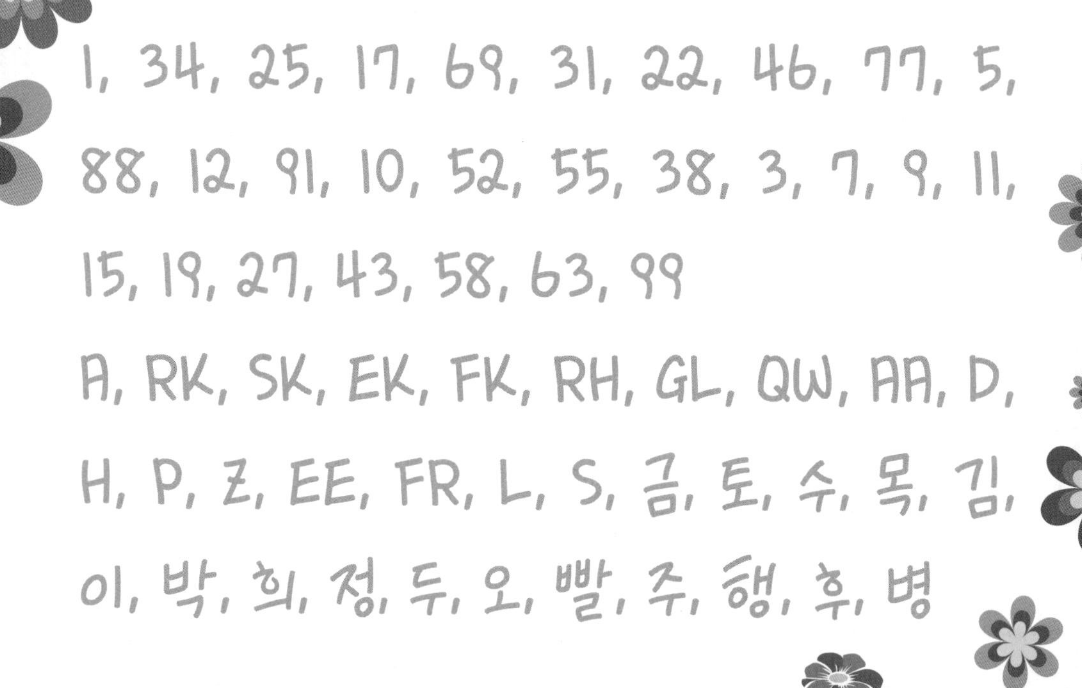

월 일

공간 파악
소근육 발달

자, 그럼 꿀벌들이 저축해 놓은 오른쪽 벌집 속의 한글과 알파벳 그리고 숫자를 왼쪽의 희미한 텍스트 입력창에서 찾아 그 위에 써 볼까요?

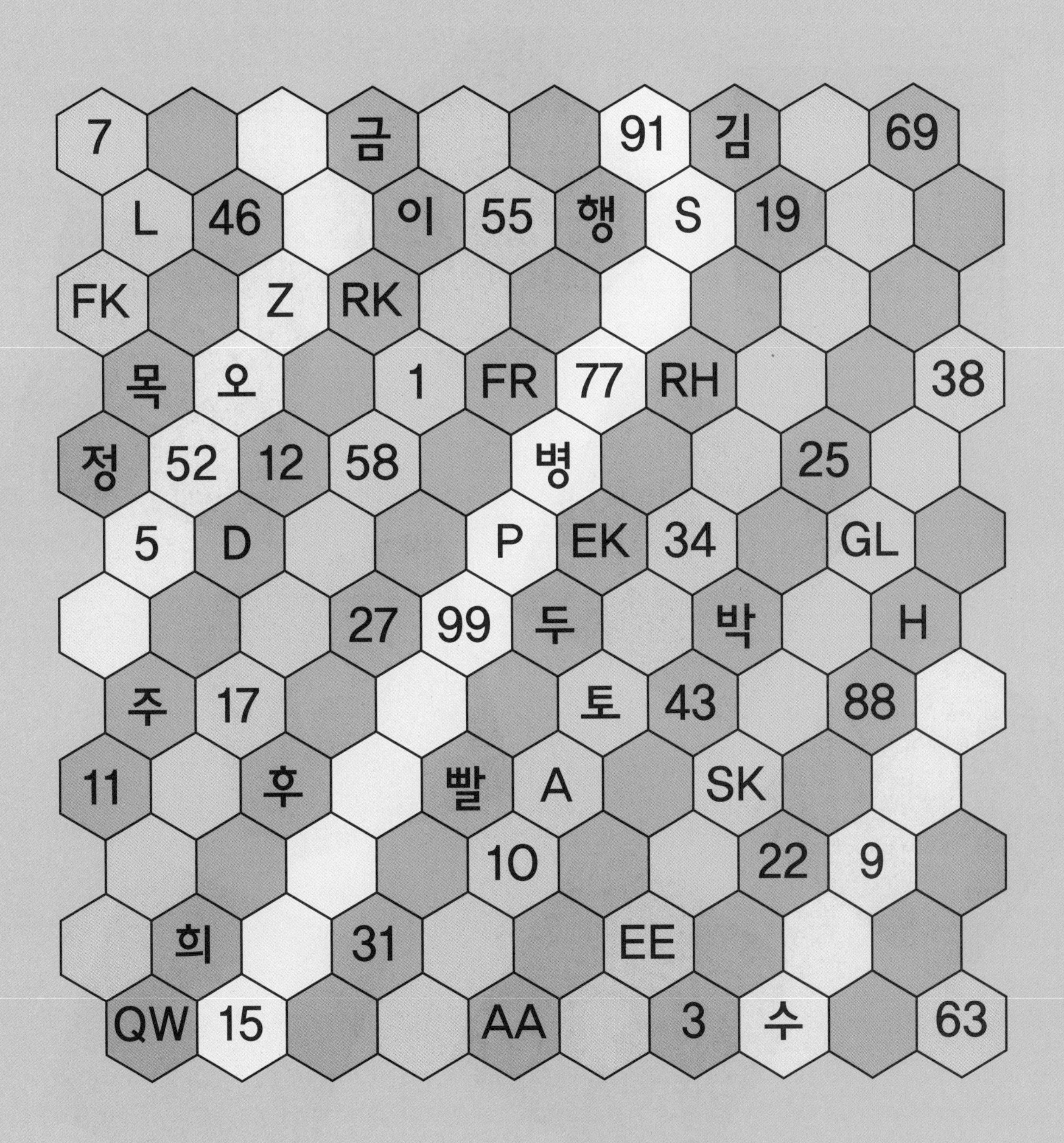

제 1 일 문제 1

같은 그림 찾기

월 일

주의 집중
시각적 내용 파악

세상에는 비슷한 모양의 것들이 많습니다. 하지만 자세히 보면 조금씩 다르다는 것을 알 수 있습니다. 어떤 것이 진짜 예시의 모양과 같은지 찾아보세요.

제 1 일
문제 2

틀린 그림 찾기

월 일

집중력/비교
변화 파악

틀린 그림 찾기는 누구나가 한 번 이상은 꼭 해 본 게임일 겁니다. 비슷한 그림이 위아래로 놓여 있습니다. 비교해 보면서 하나씩 틀린 그림을 찾아보세요. 틀린 곳은 모두 5곳입니다.

제 1 일
문제 ③

사방팔방 그리기

월 일

위치/공간 파악
소근육 발달

네모난 거울은 왼쪽과 오른쪽이 서로 대칭을 이룹니다. 형상이 있는 쪽을 잘 보고 반대편에 똑같이 그려 주세요.

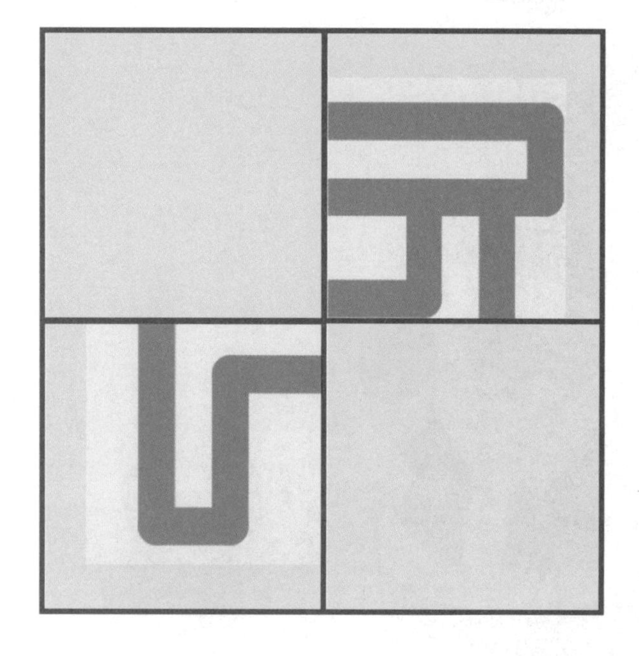

제 1 일
문제 4

그림자 찾기

월 일

시각 정보 수집
유추

빛이 있으면 반드시 그림자 생깁니다. 아래 그림 중에는 원래 모양이 빛을 받아서 생긴 진짜 그림자가 딱 하나 있습니다. 어떤 것이 진짜 그림자일까요? 튀어나오거나 들어간 모양을 잘 보고 찾아보세요.

제 2 일
문제
1

눈을 크게 뜨고 찾기

월 일

주의 집중
비교

다 똑같은 그림이라고요? 맞습니다. 딱 하나만 빼고요.
이렇게 많은 그림 중에서 단 하나의 다른 그림을 찾아보세요. 다른 모습을 하고 있는 펭귄은 어디에 있을까요?

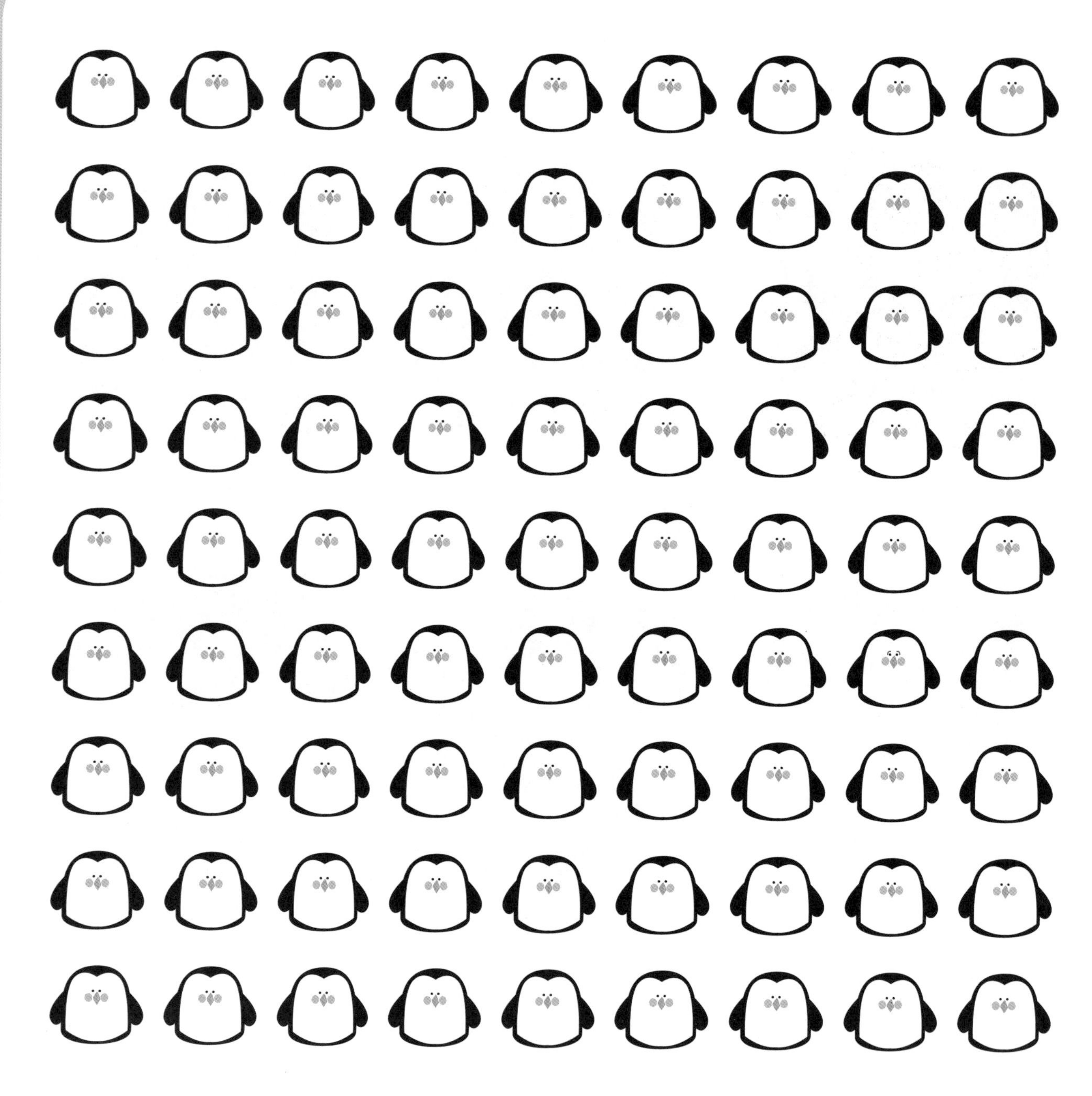

모눈종이 따라 그리기

월 일

위치/모양 비교
소근육 발달

위쪽 모눈종이에 있는 기호를 아래쪽 빈 모눈종이의 같은 자리에 그대로 그려 주세요. 위와 아래가 똑같은 모눈종이가 될 수 있도록 제자리를 잘 찾아서 그려 주세요.

	⊥				♡	∞		💾	◎
	🕒		⊗	*				$	
◎	☜	⊼			??				♬
	⨸			≪		⚑	❁	⊙	
	◑		✖		☯				◬

제 2 일
문제
3

바뀐 부분 찾아 쓰기

월 일

주의 집중
위치/모양 비교

위 그림과 아래 그림은 두 곳이 서로 달라요. 바뀐 부분을 찾아서 어떻게 달라졌는지 글로 표현해 보세요.

1

2

제 2 일
문제 ④

빠짐없이 선 잇기

월 일

공간 파악
문제 해결

한붓그리기 해 본 적 있나요? 한 번 지나간 길은 다시 돌아가지 못합니다. 시작해서 끝날 때까지 한번에 빠짐없이 선으로 이어야 성공입니다. 빨간 점에서 출발해서 규칙대로 빠뜨리지 말고 선 긋기를 해 보세요. 생각보다 쉽지 않습니다. 천천히 길을 찾아보세요.

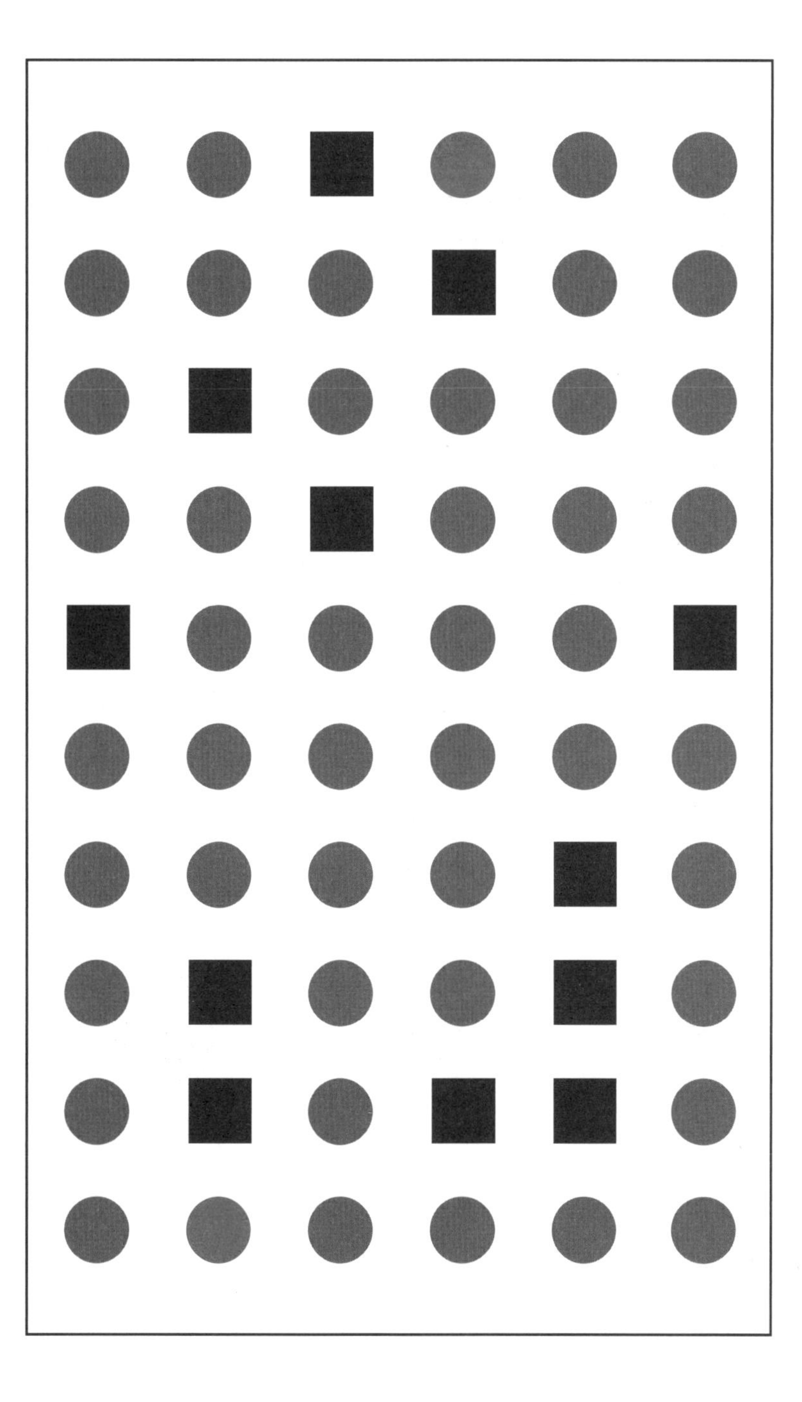

그림그림 덧셈 뺄셈

월 일

시각적 내용 파악
계산

각각의 그림은 고유의 숫자 값을 가지고 있습니다. 그림을 더하거나 뺐을 때 나오는 값으로 각 그림의 값이 얼마인지 알아내어 마지막 문제의 답을 맞춰 보세요.

+ + = 21

− = 5

+ − = 10

+ + =

=

제 3 일 문제 2

사라진 그림 찾기

월 일

시각 정보 수집
유추

윗부분에는 있는 그림이 아랫부분에는 3곳 빠져 있네요. 과연 아랫부분에는 윗부분과 달리 어떤 그림이 빠져 있을까요? 윗부분에만 있는 그림에 동그라미 쳐 보세요.

제 3 일
문제 ③

사다리 타고 친구 찾기

월 일

유추
문제 해결

일돌이와 친구들은 애견카페에 놀러 갔어요. 멋지고 귀여운 강아지들이 친구하자고 반갑게 다가오네요. 일돌이가 불돌이에게, 이순이가 점박이에게 갈 수 있도록 사다리타기에 선을 그어 주세요.

제 3 일
문제 4

장난감 화폐 계산하기

월 일

셈 하기
물체 인식

우리는 일상생활에서 다양한 종류의 지폐와 동전을 사용합니다. 자, 그럼 오늘은 장난감 화폐를 이용해서 은행놀이를 해 볼까요? 화폐의 앞면과 뒷면을 자세히 살펴보세요. 지폐와 동전을 합한 금액은 모두 얼마일까요?

원

미로 찾기

월 일

공간 파악
문제 해결

여긴 어딜까요? 외계인이 지구인이 탄 우주선을 찾아왔습니다. 그런데 우주의 복잡한 미로를 눈앞에 두고 있네요. 블랙홀에 빠지지 않고 길을 잘 선택해서 무사히 우주선과 만날 수 있도록 도와주세요. 길을 잃어버렸나요? 걱정하지 말고 다시 천천히 도전해 보세요.

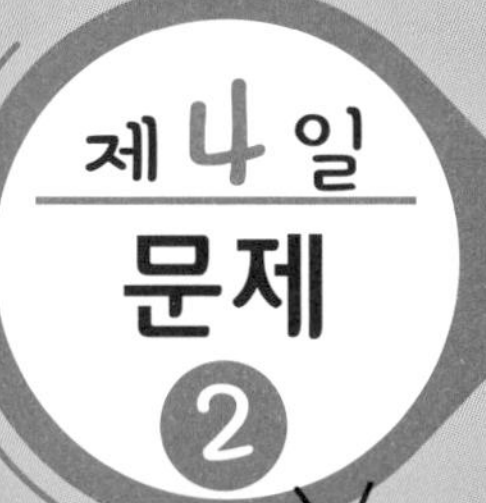

점선 잇기

월 일

수 세기
문제 해결

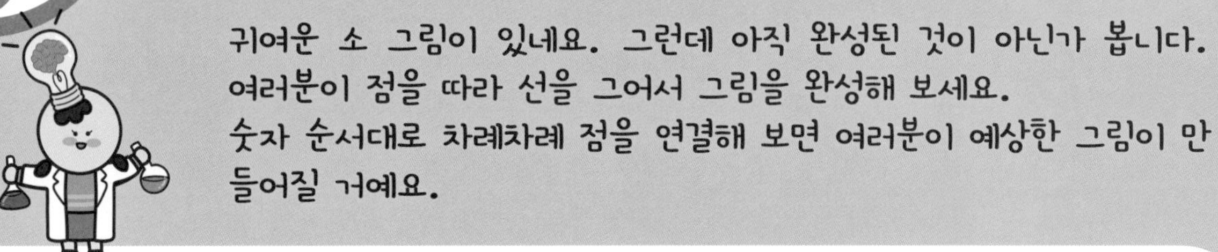

귀여운 소 그림이 있네요. 그런데 아직 완성된 것이 아닌가 봅니다.
여러분이 점을 따라 선을 그어서 그림을 완성해 보세요.
숫자 순서대로 차례차례 점을 연결해 보면 여러분이 예상한 그림이 만들어질 거예요.

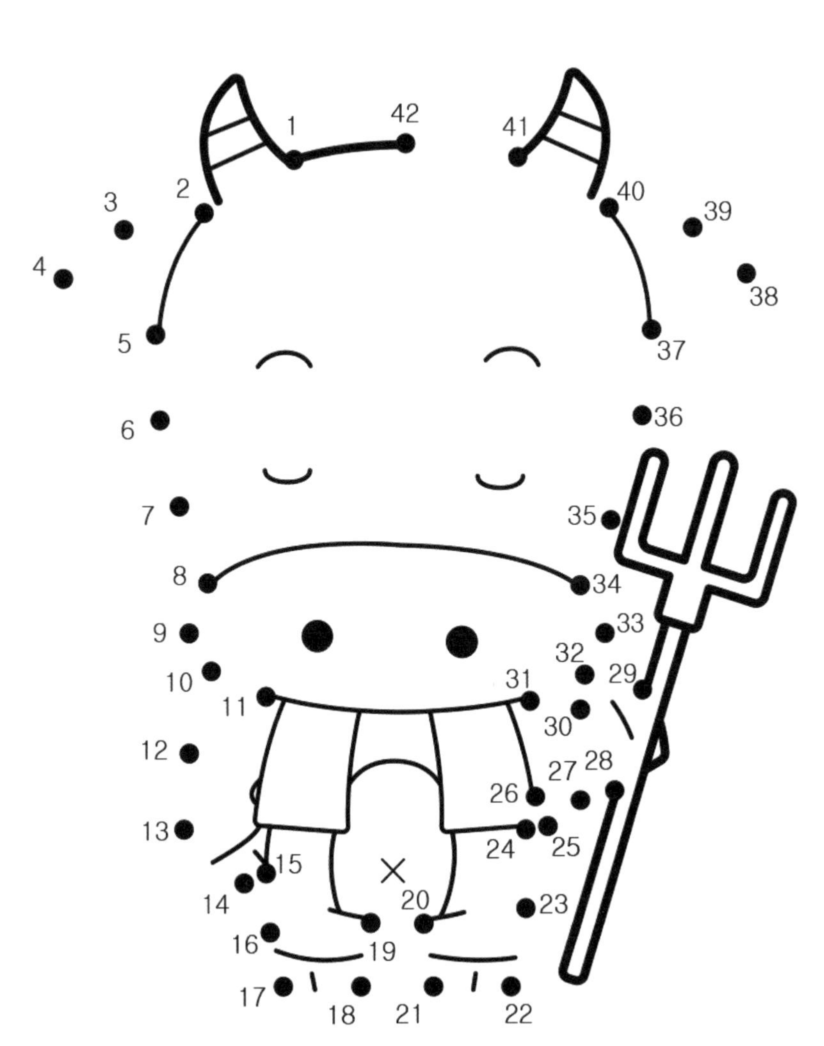

편하게 그려 보기

월 일

스트레스 해소
소근육 발달

볼펜이나 색연필로 밑그림을 따라 그림을 멋지게 완성해 보세요. 희미한 선들이 또렷해지면 완성된 그림을 만날 겁니다. 그냥 아무 생각도 하지 말고 편하게 그려 보세요.

제 4 일
문제 4

칠교놀이 조각 찾기

월 일

위치/공간 파악
조립

7개의 조각으로 이루어진 도형을 이리저리 움직여 여러 가지 형상을 만드는 놀이로 탱그램이라고도 합니다. 7개의 조각을 이렇게 저렇게 놓아 보며 문제로 주어진 형태를 만들다 보면 상상력이 풍부해지고 만족감도 높습니다. 여우 모양처럼 각각의 조각이 어떤 것인지 선을 그어 구분하고 번호를 써 보세요.

제 5 일 문제 1

다른 그림 찾기

월 일

주의 집중
비교

다 똑같은 그림 아닌가요? 정말 그렇게 생각하세요?
자세히 보면 딱 하나만 다른 모양이나 색깔을 가집니다. 빨리 찾으려 다 보면 더 헷갈립니다. 찬찬히 잘 들여다보세요.

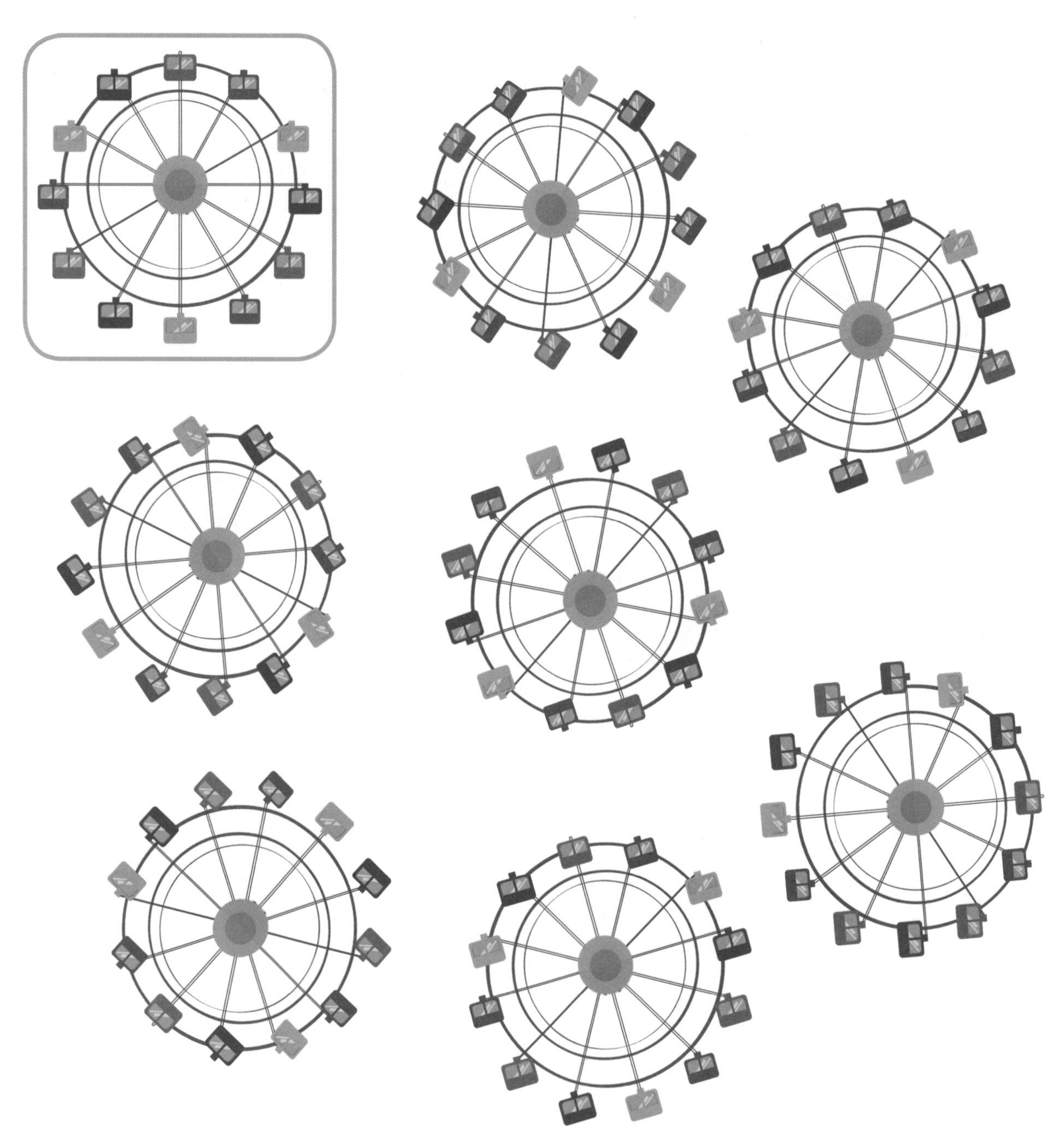

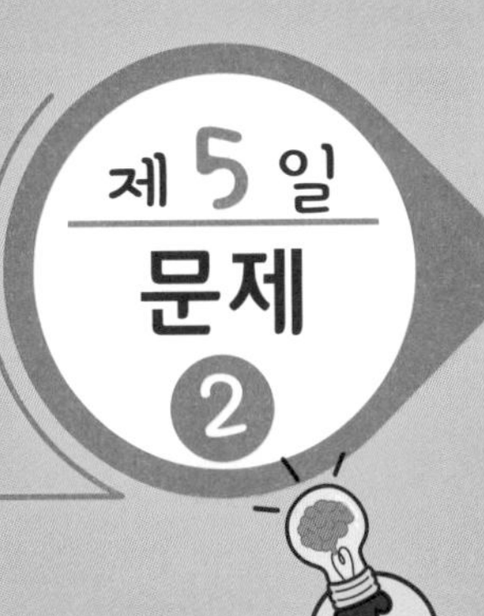

모두 몇 마리?

월 일

셈 하기
물체 인식

와! 정말 다양한 종류의 무당벌레들이 모여 있네요. 종류별로 몇 마리씩 있는지 세어서 적어 보세요. 세다가 헷갈리면 처음부터 다시 세어야 하므로 주의하세요!

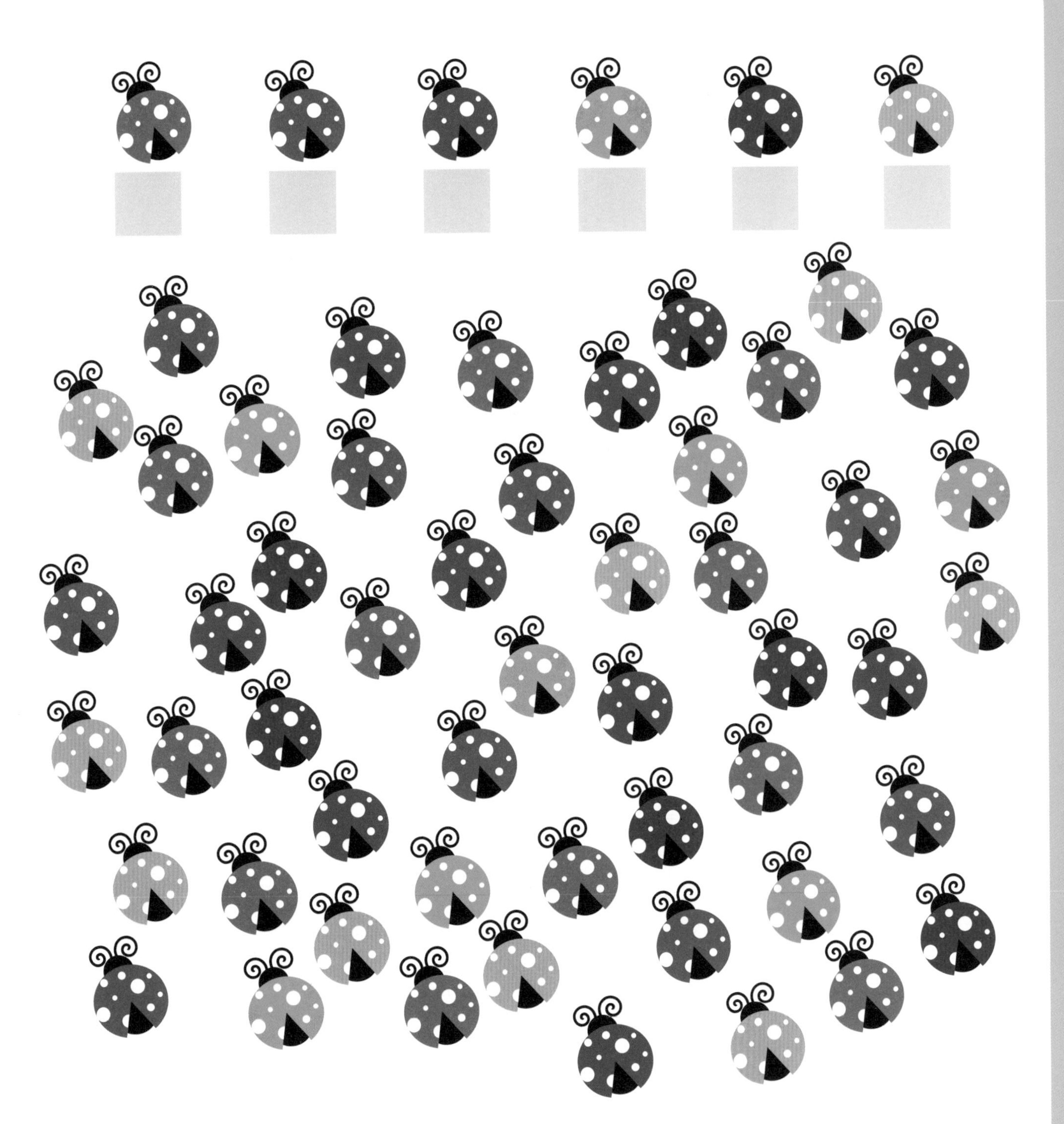

제 5 일
문제 3

요리조리 훈민정음

월 일
언어 분석
언어 조합

아래 주어진 자음과 모음으로 여러분이 알고 있는 단어를 만들어 아래 빈 칸에 써 보세요. 생각보다 많은 단어가 숨어 있습니다. 매일매일 다시 보아도 더 찾을 수 있을 정도랍니다.

ㄴ	ㅈ	ㅎ	ㄱ	ㅍ
ㄷ	ㄹ	ㅁ	ㅂ	ㅊ
ㅏ	ㅓ	ㅗ	ㅠ	ㅡ
ㅕ	ㅛ	ㅜ	ㅑ	ㅣ

예 조기

똑같이 따라 그리기

월 일

공간 파악
소근육 발달

위의 그림을 보고 점과 선의 간격을 잘 파악해서 아래에 똑같이 그려 보세요. 전후좌우 방향과 선 길이에 주의하세요.

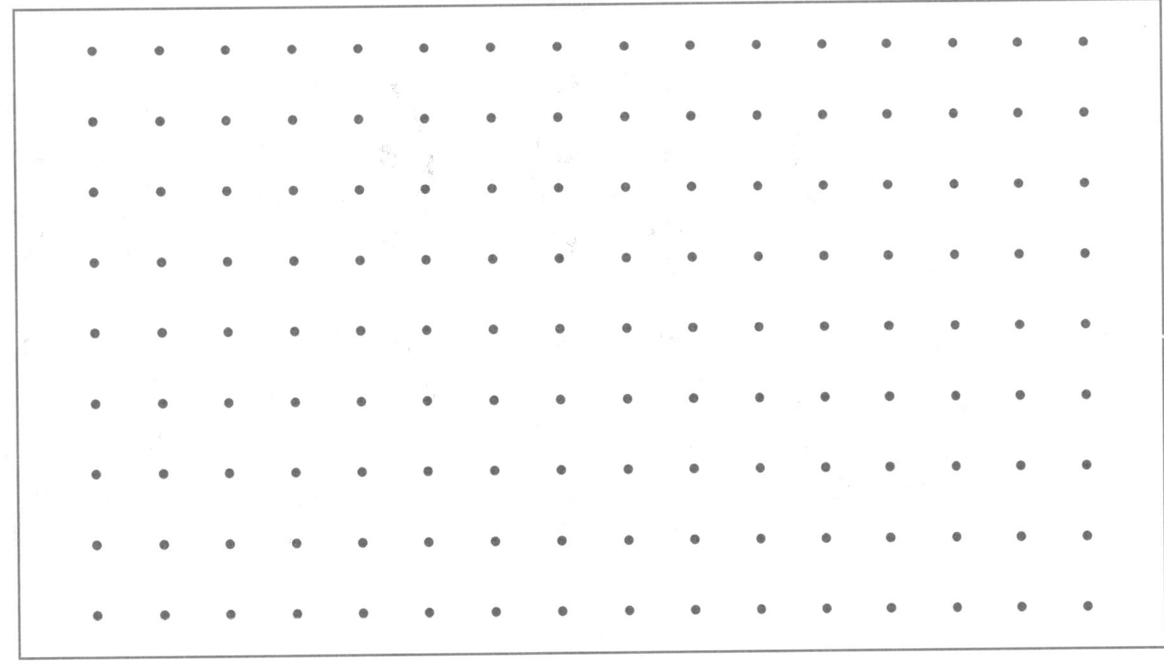

제 6 일 문제 1

얼굴 그려 넣기

월 일

시각적 내용 파악
소근육 발달

'동그라미 그리려다 무심코 그린 얼굴'이란 노래가사를 아시나요? 그 반대로 이번에는 그냥 동그라미만 있는 얼굴 모양에 위의 얼굴을 따라 그려 보세요.

제 6 일 문제 2

원고지 따라 쓰기

월 일

위치 파악
소근육 발달

원고지에 글을 써 본 적 있으세요? 이제는 주변에서 보기 쉽지 않지만, 원고지 글쓰기를 하면 글자의 소중함을 알게 되고 주의 집중도 잘 된답니다. 위 원고지에 쓰인 글자를 잘 보고 아래 빈 원고지에 한 칸에 한 글자씩 또박또박 써 보세요.

내		마	음		속	에	는		나	의		적	이
많	다	.		이	기	심	,		비	겁	,		게
으	름	,		탐	욕	,		좌	절	감		등	은
모	두		내	가		싸	워	서		물	리	쳐	야
할		적	이	다	.		이	러	한		내		안
의		적	을		이	기	지		못	할		때	
나	는		비	겁	하	고	,		무	책	임	하	고

유쾌한 마음일기

월 일

명상
스트레스 해소

오늘 하루 중에 있었던 기분 좋은 일을 자세하게 써 보세요. 기분 좋은 일은 한 가지일 수도 있고, 여러 가지일 수도 있습니다. 그 중에 제일 기분 좋았던 일을 기록해 보세요.

1. 어떤 기분 좋은 일이 있었나요?

2. 기분 좋은 일을 경험하는 동안 몸으로 느낀 감각을 자세히 기록해 봅니다.

3. 지금 마음일기를 쓰는 심정을 기록해 보세요.

제 6 일
문제 ④

겹친 블록 그려 보기

월 일

공간 파악
유추

가로 세로 5*5의 정사각형 안에는 두 가지 색 블록이 서로 다른 모양으로 공간을 차지하고 있습니다. 만약 위에서부터 아래로 밝은 색 블록을 더하거나 빼면 어떤 모양의 블록이 될까요? 빗금으로 표현해 보세요.

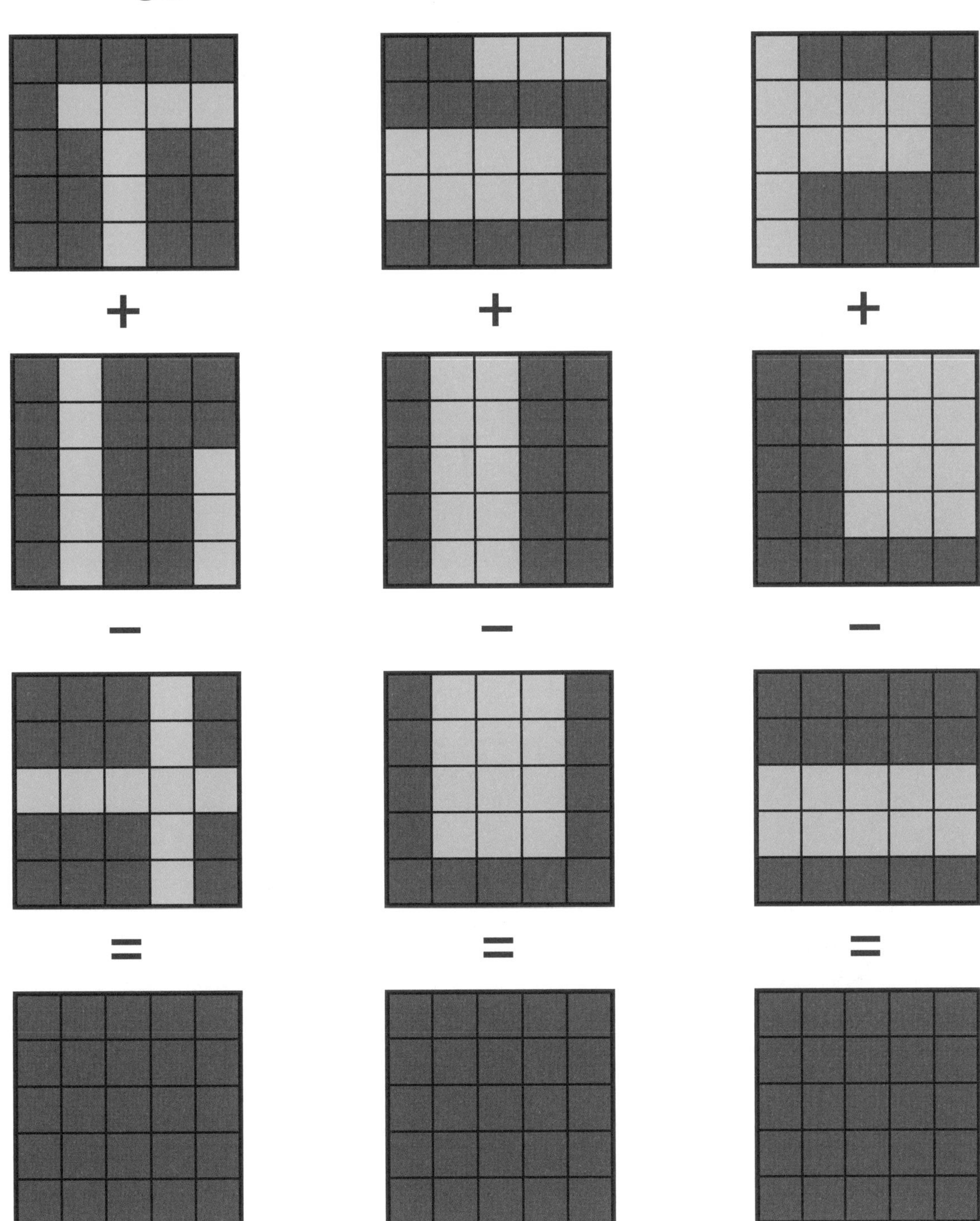

제 7 일 문제 1

벌집의 텍스트 찾아보기

꿀벌들이 벌집으로 꿀과 꽃가루를 가져와 저축합니다. 아! 그런데 자세히 보니 꿀벌들이 가져오는 꿀이나 꽃가루마다 해당하는 한글이나 알파벳 그리고 숫자가 있네요.

1, 34, 25, 17, 69, 31, 22, 46, 77, 5, 88, 12, 91, 10, 52, 55, 38, 3, 7, 9, 11, 15, 19, 27, 43, 58, 63, 99

A, RK, SK, EK, FK, RH, GL, QW, AA, D, H, P, Z, EE, FR, L, S, 금, 토, 수, 목, 김, 이, 박, 희, 정, 두, 오, 빨, 주, 행, 후, 병

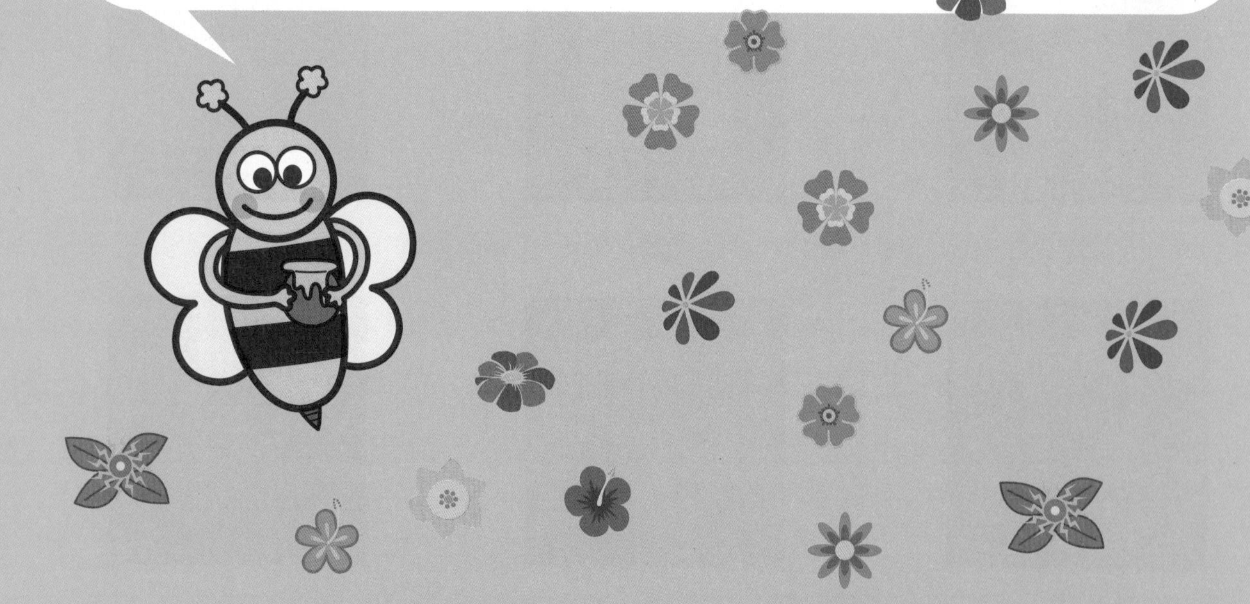

자, 그럼 꿀벌들이 저축해 놓은 오른쪽 벌집 속의 한글과 알파벳 그리고 숫자를 왼쪽의 희미한 텍스트 입력창에서 찾아 그 위에 써 볼까요?

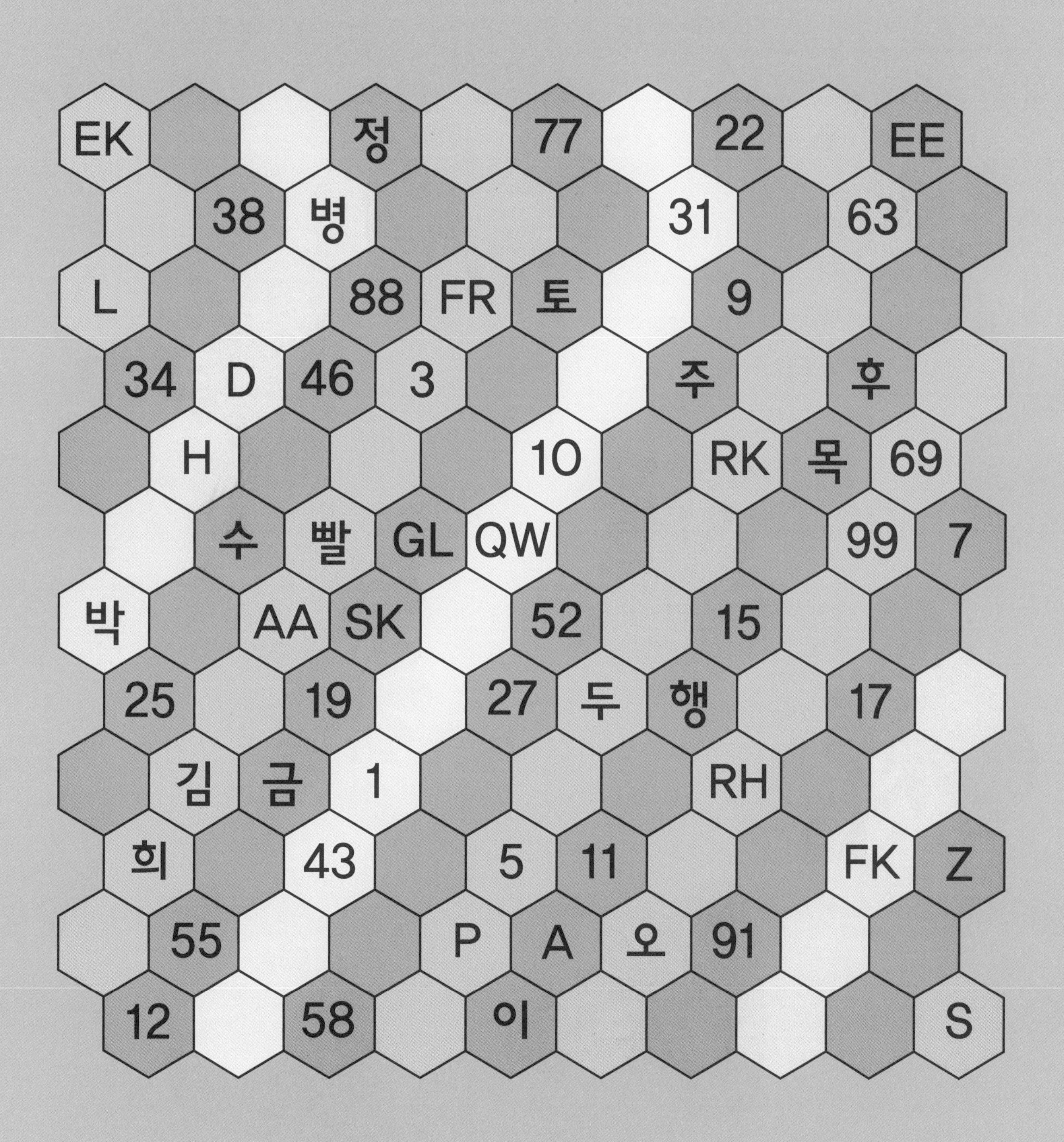

제 1 일
문제
1

같은 그림 찾기

월 일

주의 집중
시각적 내용 파악

세상에는 비슷한 모양의 것들이 많습니다. 하지만 자세히 보면 조금씩 다르다는 것을 알 수 있습니다. 어떤 것이 진짜 예시의 모양과 같은지 찾아보세요.

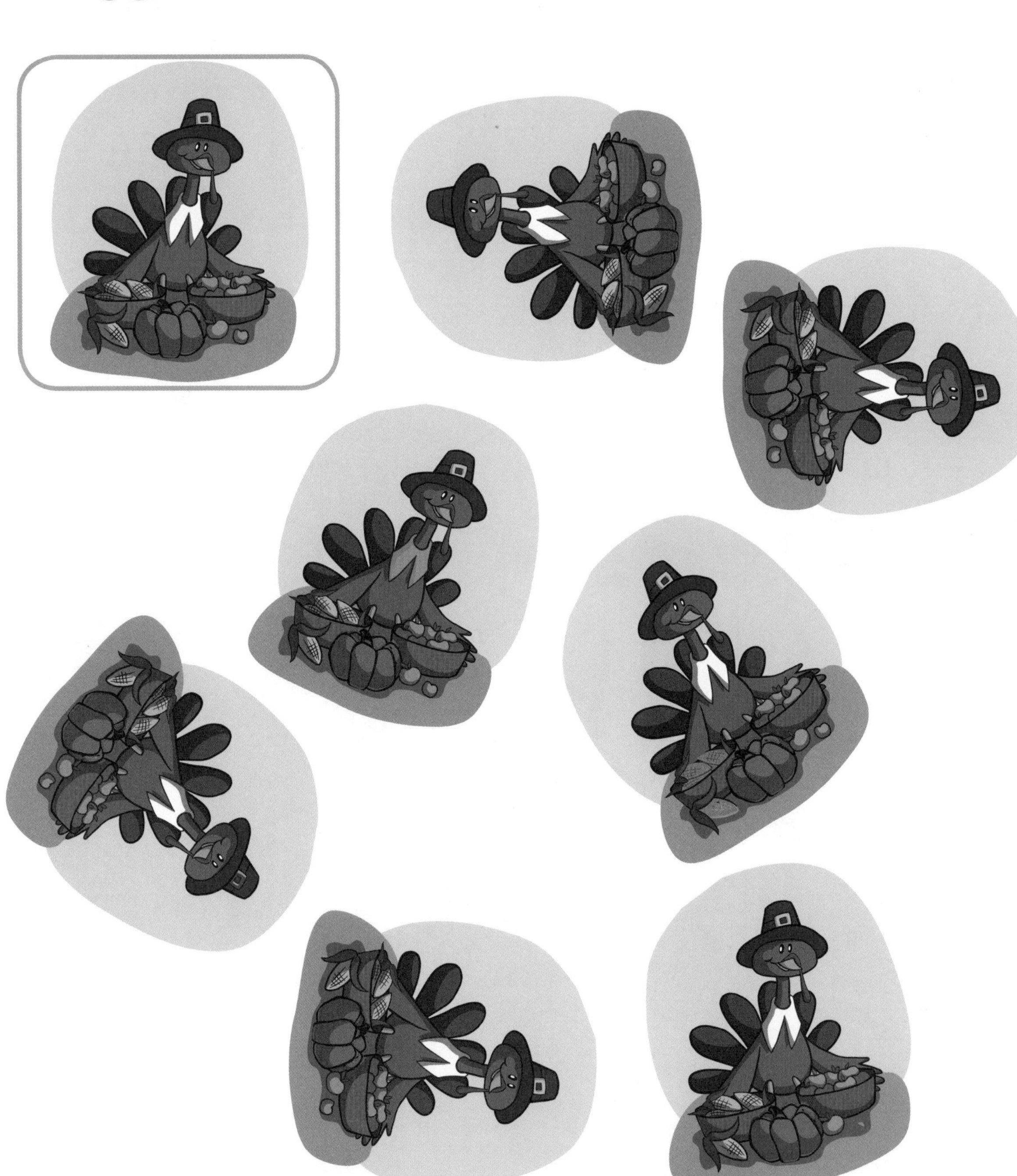

제 1 일
문제 ②

틀린 그림 찾기

월 일

집중력/비교
변화 파악

틀린 그림 찾기는 누구나가 한 번 이상은 꼭 해 본 게임일 겁니다. 비슷한 그림이 위아래로 놓여 있습니다. 비교해 보면서 하나씩 틀린 그림을 찾아보세요. 틀린 곳은 모두 5곳입니다.

제 1 일
문제
3

사방팔방 그리기

월 일

위치/공간 파악
소근육 발달

네모난 거울은 왼쪽과 오른쪽이 서로 대칭을 이룹니다. 형상이 있는 쪽을 잘 보고 반대편에 똑같이 그려 주세요.

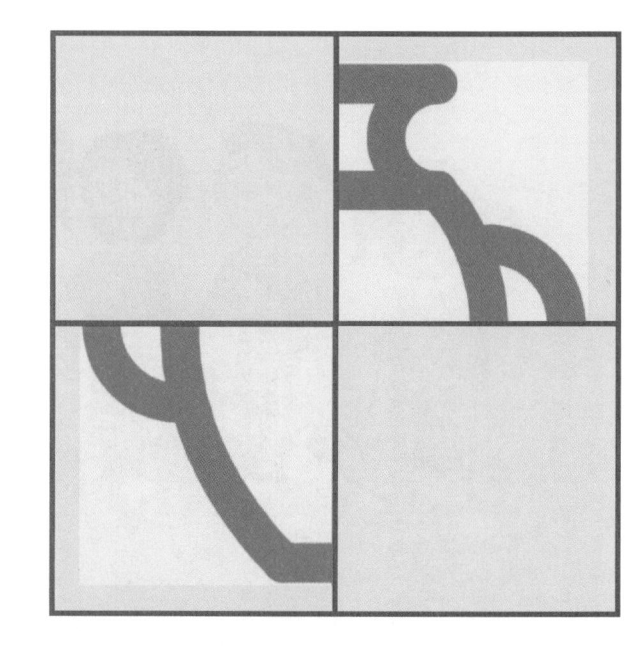

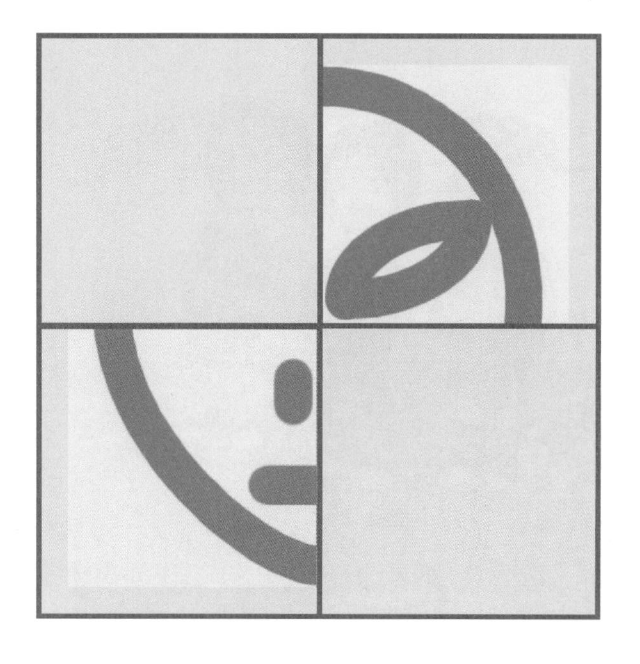

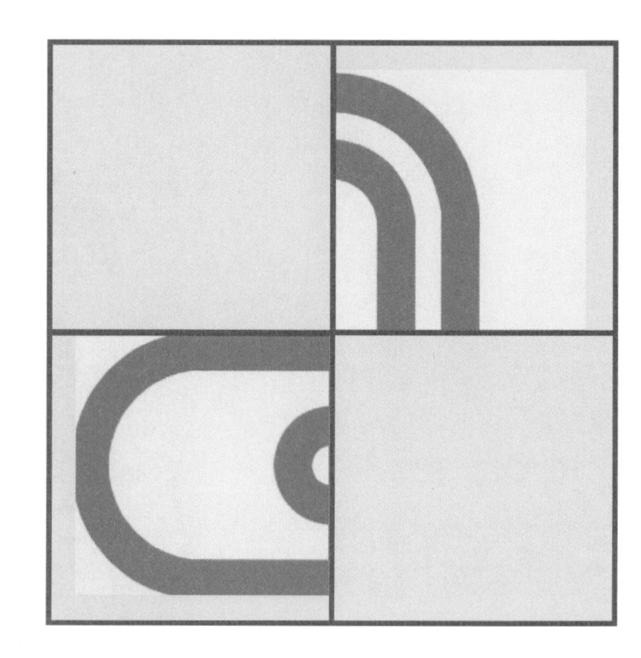

제 1 일
문제
4

그림자 찾기

월 일

시각 정보 수집
유추

빛이 있으면 반드시 그림자 생깁니다. 아래 그림 중에는 원래 모양이 빛을 받아서 생긴 진짜 그림자가 딱 하나 있습니다. 어떤 것이 진짜 그림자일까요? 튀어나오거나 들어간 모양을 잘 보고 찾아보세요.

제 2 일 문제 1

눈을 크게 뜨고 찾기

월 일

주의 집중
비교

다 똑같은 그림이라고요? 맞습니다. 딱 하나만 빼고요.
이렇게 많은 그림 중에서 단 하나의 다른 그림을 찾아보세요. 다른 모습을 하고 있는 진저맨 쿠키는 어디에 있을까요?

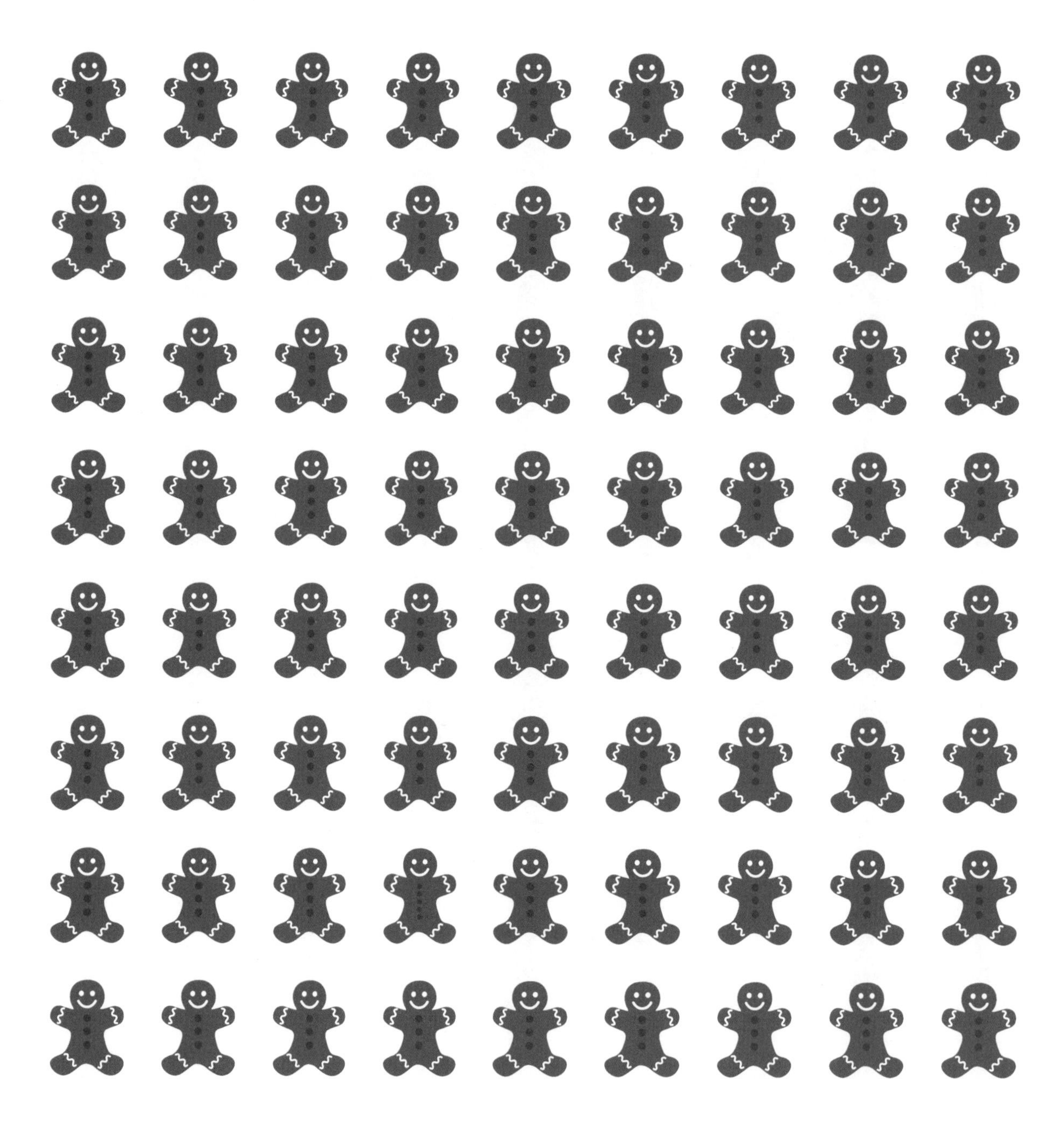

제 2 일
문제
2

모눈종이 따라 그리기

월 일

위치/모양 비교
소근육 발달

위쪽 모눈종이에 있는 기호를 아래쪽 빈 모눈종이의 같은 자리에 그대로 그려 주세요. 위와 아래가 똑같은 모눈종이가 될 수 있도록 제자리를 잘 찾아서 그려 주세요.

제 2 일 문제 3

바뀐 부분 찾아 쓰기

월 일

주의 집중
위치/모양 비교

위 그림과 아래 그림은 두 곳이 서로 달라요. 바뀐 부분을 찾아서 어떻게 달라졌는지 글로 표현해 보세요.

1

2

제 2 일
문제 4

빠짐없이 선 잇기

월 일

공간 파악
문제 해결

한붓그리기 해 본 적 있나요? 한 번 지나간 길은 다시 돌아가지 못합니다. 시작해서 끝날 때까지 한번에 빠짐없이 선으로 이어야 성공입니다. 빨간 점에서 출발해서 규칙대로 빠뜨리지 말고 선 긋기를 해 보세요. 생각보다 쉽지 않습니다. 천천히 길을 찾아보세요.

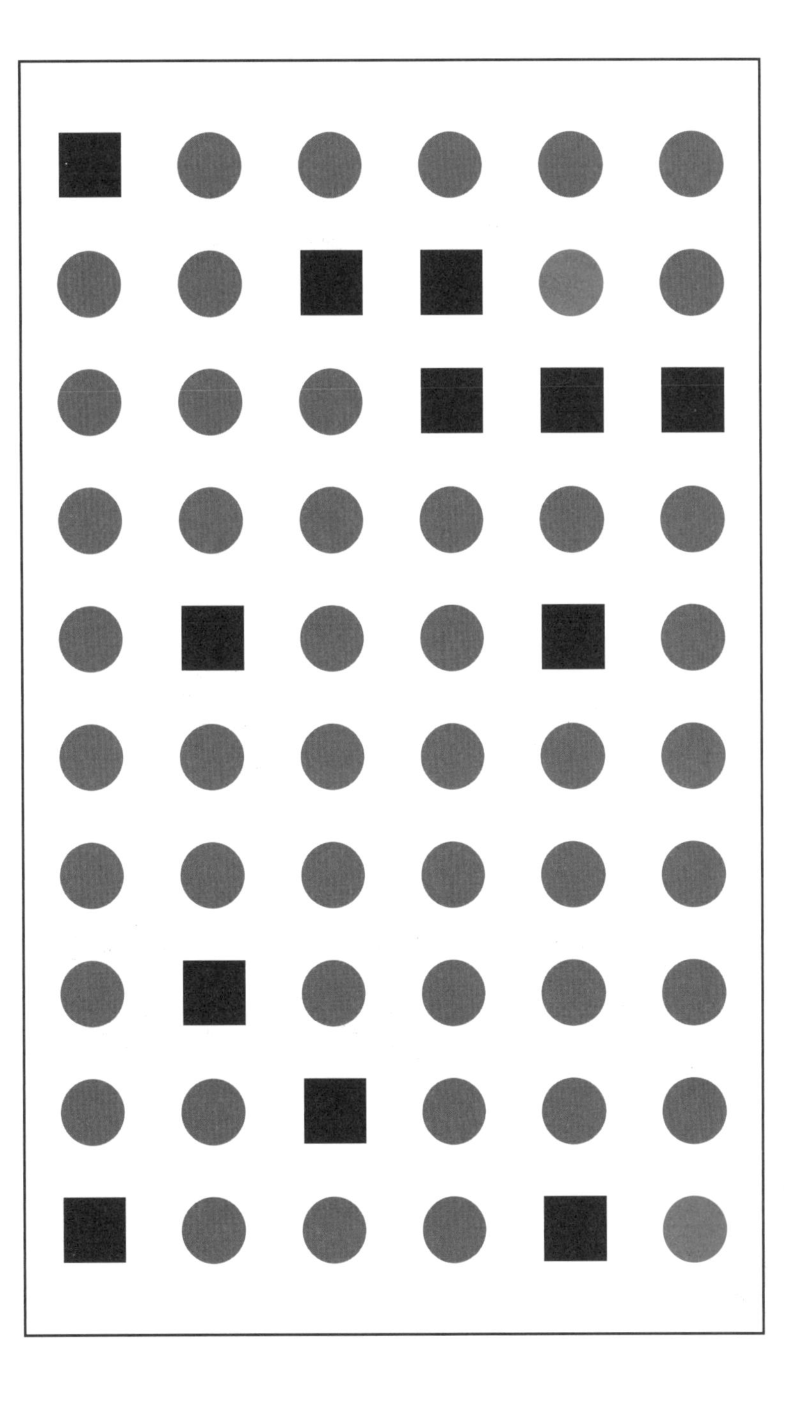

제 3 일
문제 1

그림그림 덧셈 뺄셈

월 일

시각적 내용 파악
계산

각각의 그림은 고유의 숫자 값을 가지고 있습니다. 그림을 더하거나 뺐을 때 나오는 값으로 각 그림의 값이 얼마인지 알아내어 마지막 문제의 답을 맞춰 보세요.

+  +  = 18

 −  = 12

 +  −  = 4

 − + +  = 18

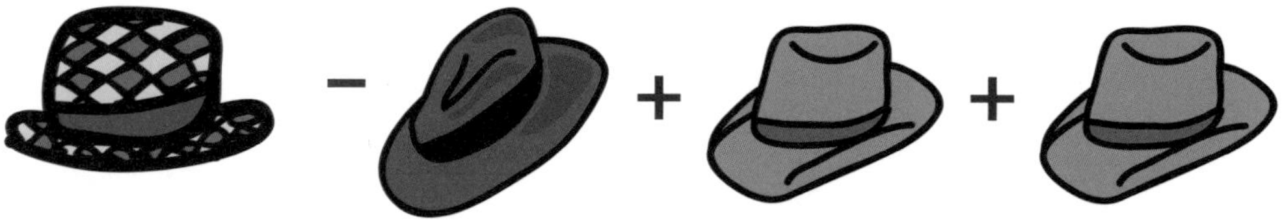

 =

제 3 일
문제 2

사라진 그림 찾기

월 일

시각 정보 수집
유추

윗부분에는 있는 그림이 아랫부분에는 3곳 빠져 있네요. 과연 아랫부분에는 윗부분과 달리 어떤 그림이 빠져 있을까요? 윗부분에만 있는 그림에 동그라미 쳐 보세요.

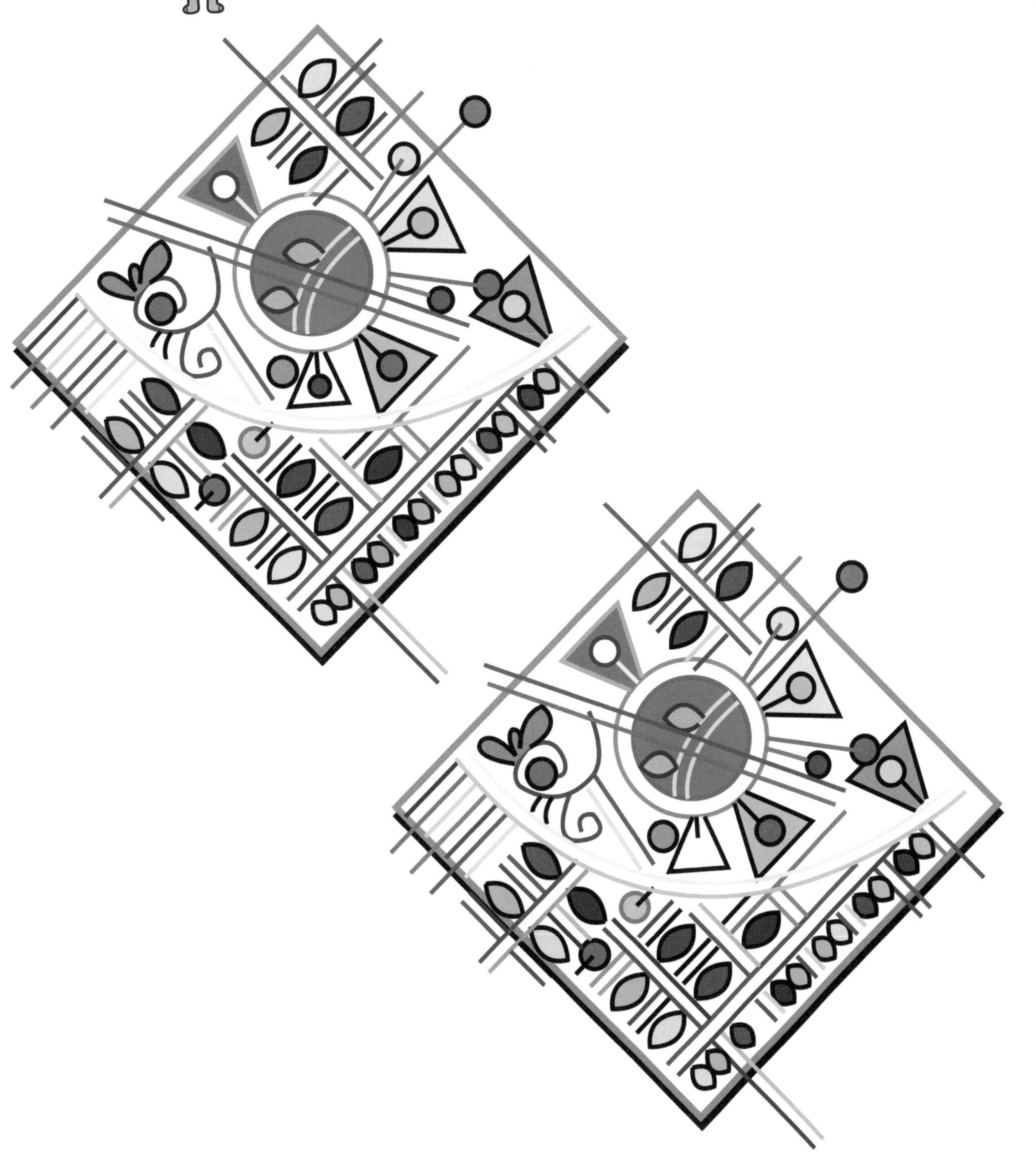

제 3 일
문제 3

사다리 타고 친구 찾기

월 일

유추
문제 해결

일돌이와 친구들은 애견카페에 놀러 갔어요. 멋지고 귀여운 강아지들이 친구하자고 반갑게 다가오네요. 일돌이가 불돌이에게, 이순이가 점박이에게 갈 수 있도록 사다리타기에 선을 그어 주세요.

제 3 일
문제
4

장난감 화폐 계산하기

월 일

셈 하기
물체 인식

우리는 일상생활에서 다양한 종류의 지폐와 동전을 사용합니다. 자, 그럼 오늘은 장난감 화폐를 이용해서 은행놀이를 해 볼까요? 화폐의 앞면과 뒷면을 자세히 살펴보세요. 지폐와 동전을 합한 금액은 모두 얼마일까요?

원

제 4 일
문제
1

미로 찾기

월 일

공간 파악
문제 해결

부지런한 꿀벌이 달콤한 꿀을 찾아 길을 나섰네요. 여긴 어딜까요? 미로를 눈앞에 두고 있네요. 무사히 도착지까지 가 보도록 해요. 길을 잃어버렸나요? 걱정하지 마세요. 다시 천천히 도전해 보세요. 그럼 출발!

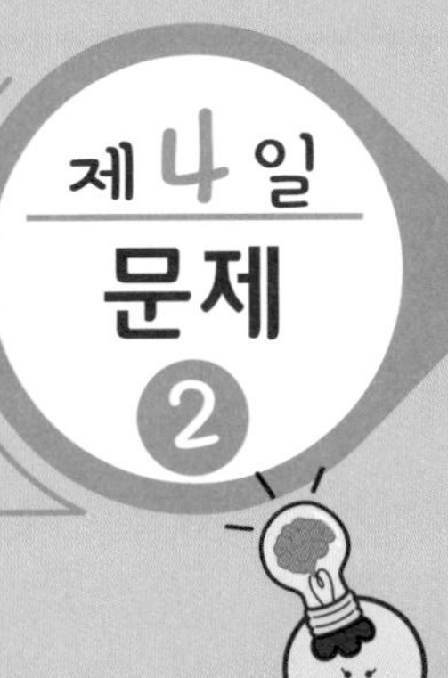

점선 잇기

월 일

수 세기
문제 해결

귀여운 호랑이 그림이 있네요. 그런데 아직 완성된 것이 아닌가 봅니다. 여러분이 점을 따라 선을 그어서 그림을 완성해 보세요.
숫자 순서대로 차례차례 점을 연결해 보면 여러분이 예상한 그림이 만들어질 거예요.

제 4 일 문제 3

편하게 그려 보기

월 일

스트레스 해소
소근육 발달

볼펜이나 색연필로 밑그림을 따라 그림을 멋지게 완성해 보세요. 희미한 선들이 또렷해지면 완성된 그림을 만날 겁니다. 그냥 아무 생각도 하지 말고 편하게 그려 보세요.

제 4 일
문제
4

칠교놀이 조각 찾기

월 일

위치/공간 파악
조립

7개의 조각으로 이루어진 도형을 이리저리 움직여 여러 가지 형상을 만드는 놀이로 탱그램이라고도 합니다. 7개의 조각을 이렇게 저렇게 놓아 보며 문제로 주어진 형태를 만들다 보면 상상력이 풍부해지고 만족감도 높습니다. 여우 모양처럼 각각의 조각이 어떤 것인지 선을 그어 구분하고 번호를 써 보세요.

제 5 일
문제 ①

다른 그림 찾기

월 일
주의 집중
비교

다 똑같은 그림 아닌가요? 정말 그렇게 생각하세요?
자세히 보면 딱 하나만 다른 모양이나 색깔을 가집니다. 빨리 찾으려다 보면 더 헷갈립니다. 찬찬히 잘 들여다보세요.

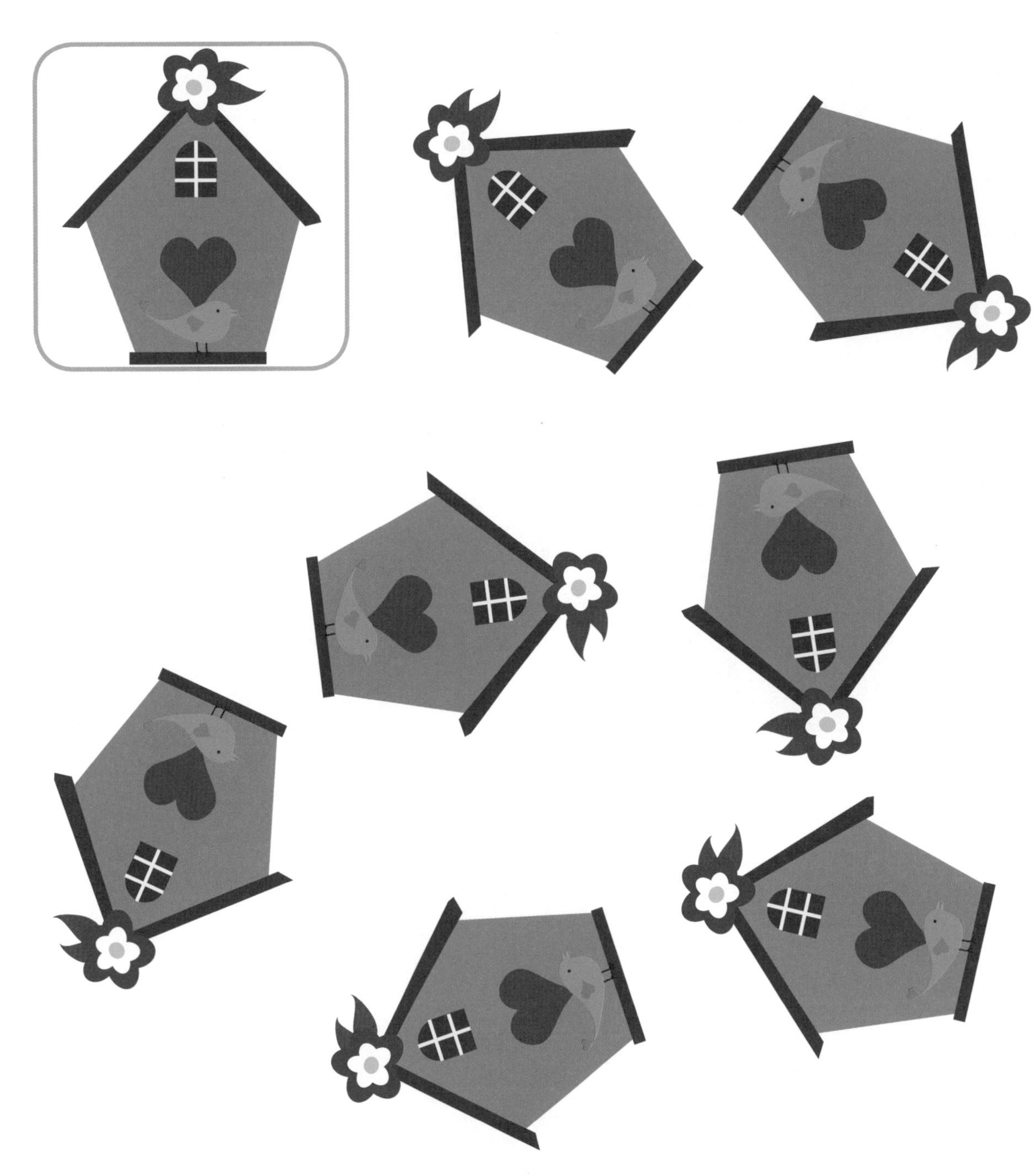

모두 몇 마리?

월 일

셈 하기
물체 인식

와! 정말 다양한 종류의 강아지들이 모여 있네요. 종류별로 몇 마리씩 있는지 세어서 적어 보세요. 세다가 헷갈리면 처음부터 다시 세어야 하므로 주의하세요!

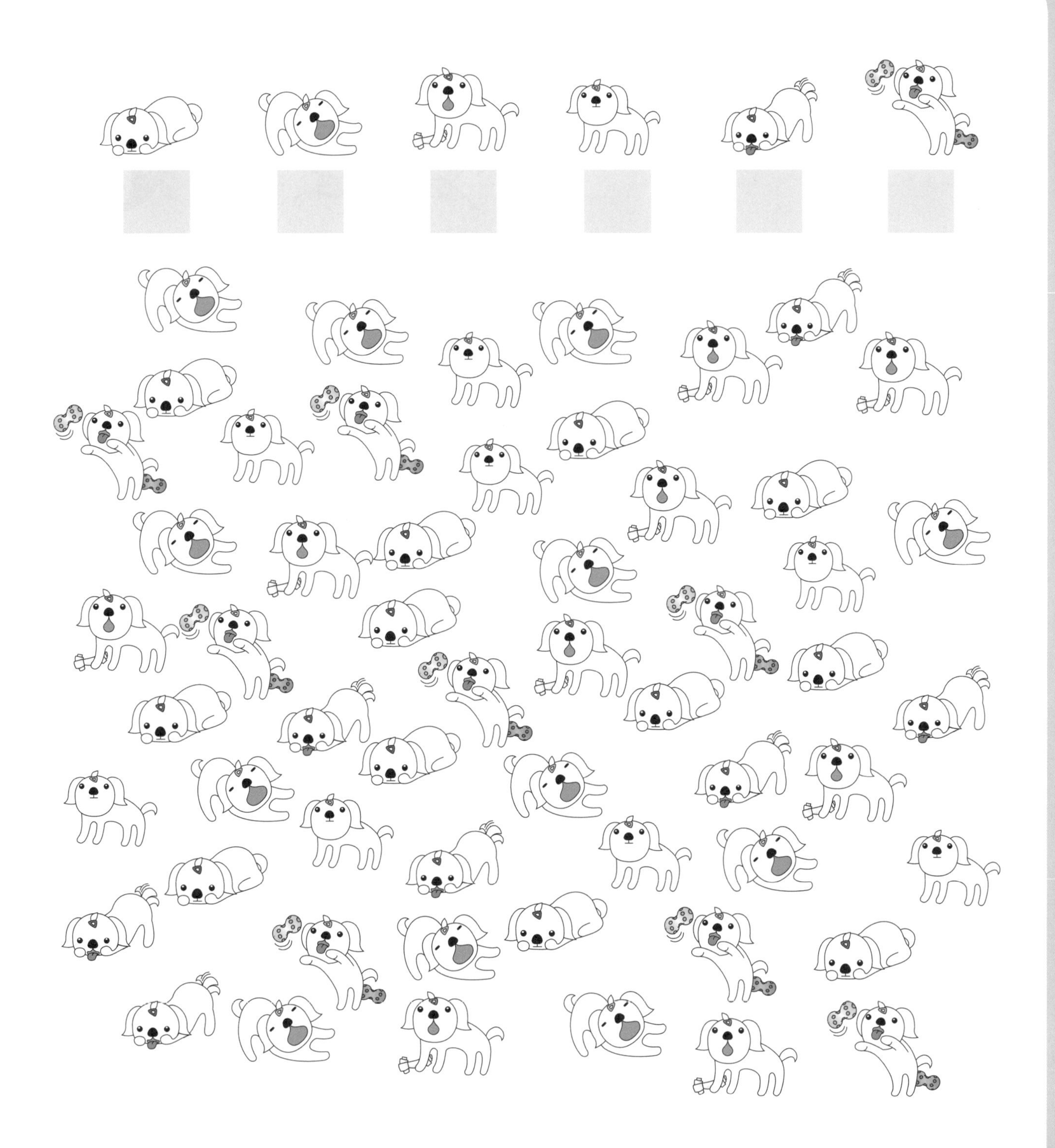

제 5 일 문제 3

요리조리 훈민정음

월 일

언어 분석
언어 조합

아래 주어진 자음과 모음으로 여러분이 알고 있는 단어를 만들어 아래 빈 칸에 써 보세요. 생각보다 많은 단어가 숨어 있습니다. 매일매일 다시 보아도 더 찾을 수 있을 정도랍니다.

ㄴ	ㅈ	ㅎ	ㄱ	ㅅ
ㄷ	ㅇ	ㅁ	ㅂ	ㅊ
ㅏ	ㅖ	ㅗ	ㅠ	ㅡ
ㅔ	ㅛ	ㅜ	ㅑ	ㅣ

예 부추

똑같이 따라 그리기

월 일

공간 파악
소근육 발달

위의 그림을 보고 점과 선의 간격을 잘 파악해서 아래에 똑같이 그려 보세요. 전후좌우 방향과 선 길이에 주의하세요.

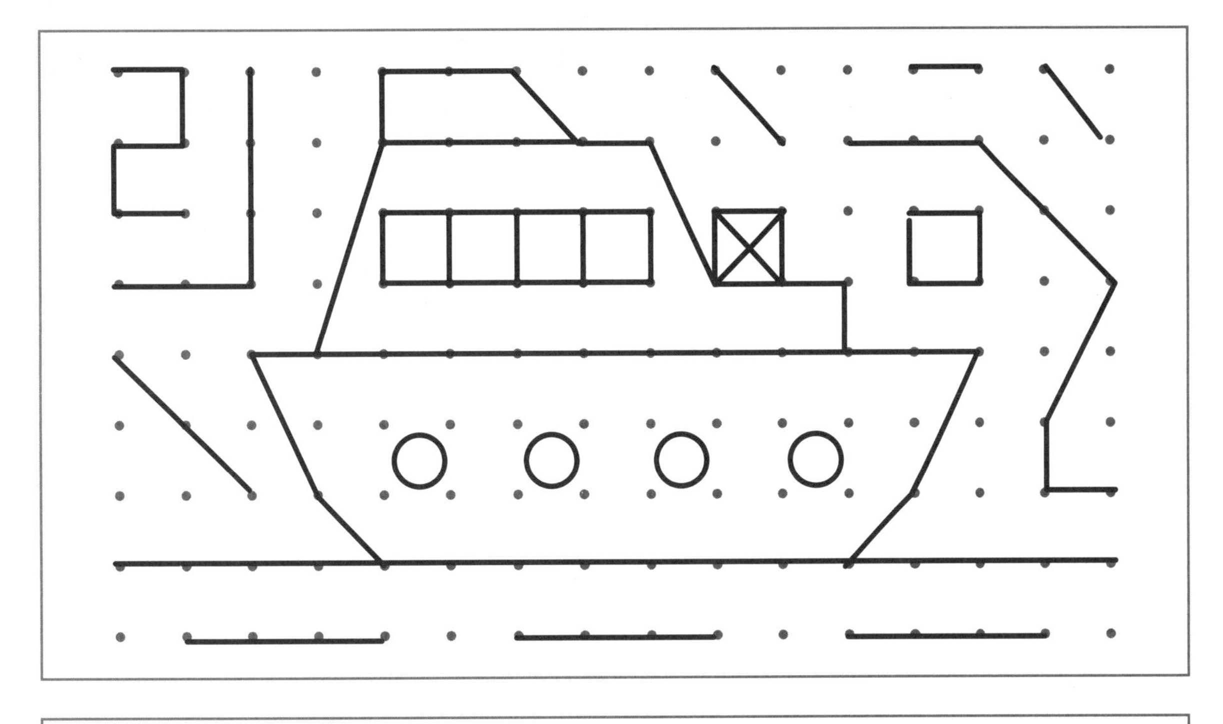

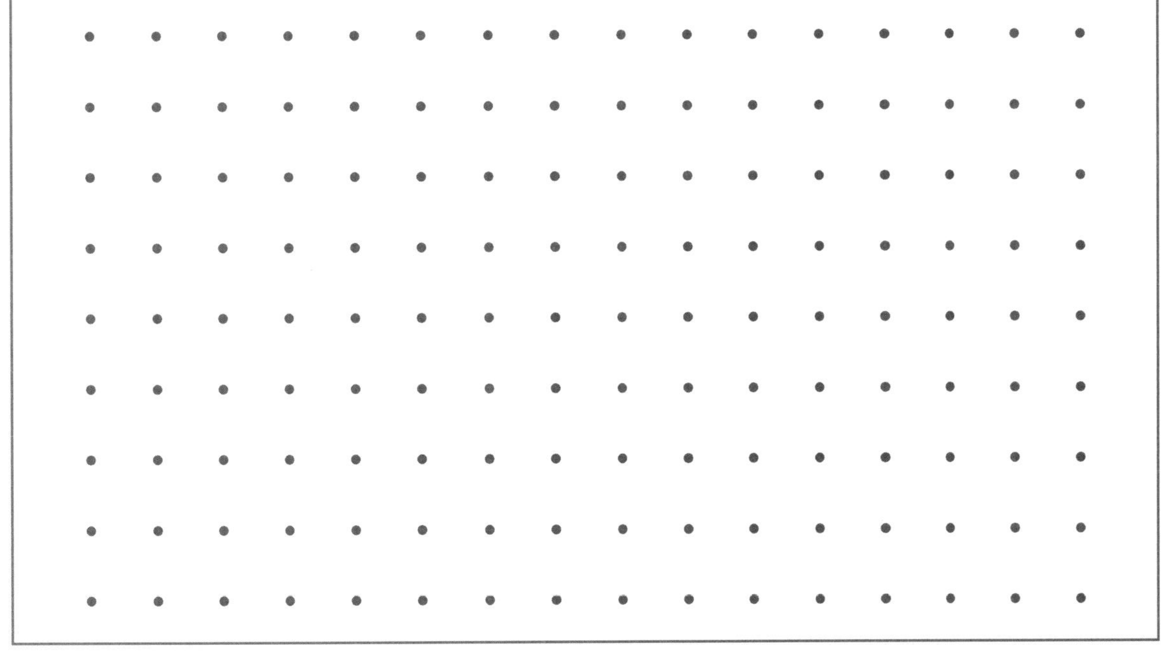

제 6 일 문제 1

얼굴 그려 넣기

월 일

시각적 내용 파악
소근육 발달

'동그라미 그리려다 무심코 그린 얼굴'이란 노래가사를 아시나요? 그 반대로 이번에는 그냥 동그라미만 있는 얼굴 모양에 위의 얼굴을 따라 그려 보세요.

제 6 일 문제 ②

원고지 따라 쓰기

월 일

위치 파악
소근육 발달

원고지에 글을 써 본 적 있으세요? 이제는 주변에서 보기 쉽지 않지만, 원고지 글쓰기를 하면 글자의 소중함을 알게 되고 주의 집중도 잘 된답니다. 위 원고지에 쓰인 글자를 잘 보고 아래 빈 원고지에 한 칸에 한 글자씩 또박또박 써 보세요.

깊	은		소	나	무	에	서		나	오	는		바
람		소	리	,		이	것	은		듣	는		사
람	이		청	아	한		까	닭	이	며	,		산
이		찢	어	지	고		언	덕	이		무	너	져
내	리	는		듯	한		소	리	,		이	것	은
듣	는		사	람	이		분	노	한		까	닭	이
며	,		뭇		개	구	리	들	이		다	투	어

유쾌한 마음일기

월 일

명상
스트레스 해소

오늘 하루 중에 있었던 기분 좋은 일을 자세하게 써 보세요. 기분 좋은 일은 한 가지일 수도 있고, 여러 가지일 수도 있습니다. 그 중에 제일 기분 좋았던 일을 기록해 보세요.

1. 어떤 기분 좋은 일이 있었나요?

2. 기분 좋은 일을 경험하는 동안 몸으로 느낀 감각을 자세히 기록해 봅니다.

3. 지금 마음일기를 쓰는 심정을 기록해 보세요.

제 6 일
문제 4

겹친 블록 그려 보기

월 일

공간 파악
유추

가로 세로 5*5의 정사각형 안에는 두 가지 색 블록이 서로 다른 모양으로 공간을 차지하고 있습니다. 만약 위에서부터 아래로 밝은 색 블록을 더하거나 빼면 어떤 모양의 블록이 될까요? 빗금으로 표현해 보세요.

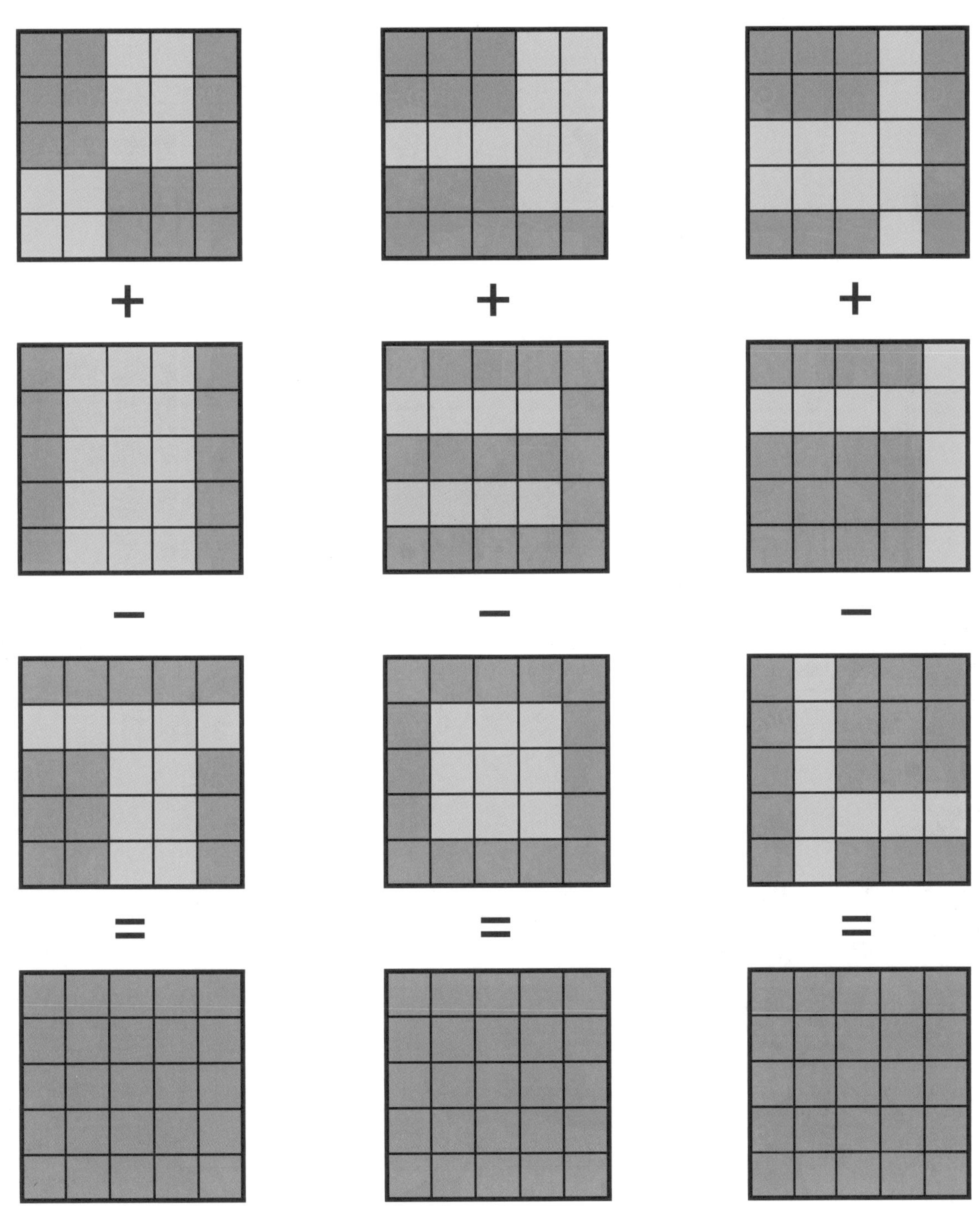

제 7 일 문제 1

벌집의 텍스트 찾아보기

꿀벌들이 벌집으로 꿀과 꽃가루를 가져와 저축합니다. 아! 그런데 자세히 보니 꿀벌들이 가져오는 꿀이나 꽃가루마다 해당하는 한글이나 알파벳 그리고 숫자가 있네요.

1, 34, 25, 17, 69, 31, 22, 46, 77, 5, 88, 12, 91, 10, 52, 55, 38, 3, 7, 9, 11, 15, 19, 27, 43, 58, 63, 99
A, RK, SK, EK, FK, RH, GL, QW, AA, D, H, P, Z, EE, FR, L, S, 금, 토, 수, 목, 김, 이, 박, 희, 정, 두, 오, 빨, 주, 행, 후, 병

자, 그럼 꿀벌들이 저축해 놓은 오른쪽 벌집 속의 한글과 알파벳 그리고 숫자를 왼쪽의 희미한 텍스트 입력창에서 찾아 그 위에 써 볼까요?

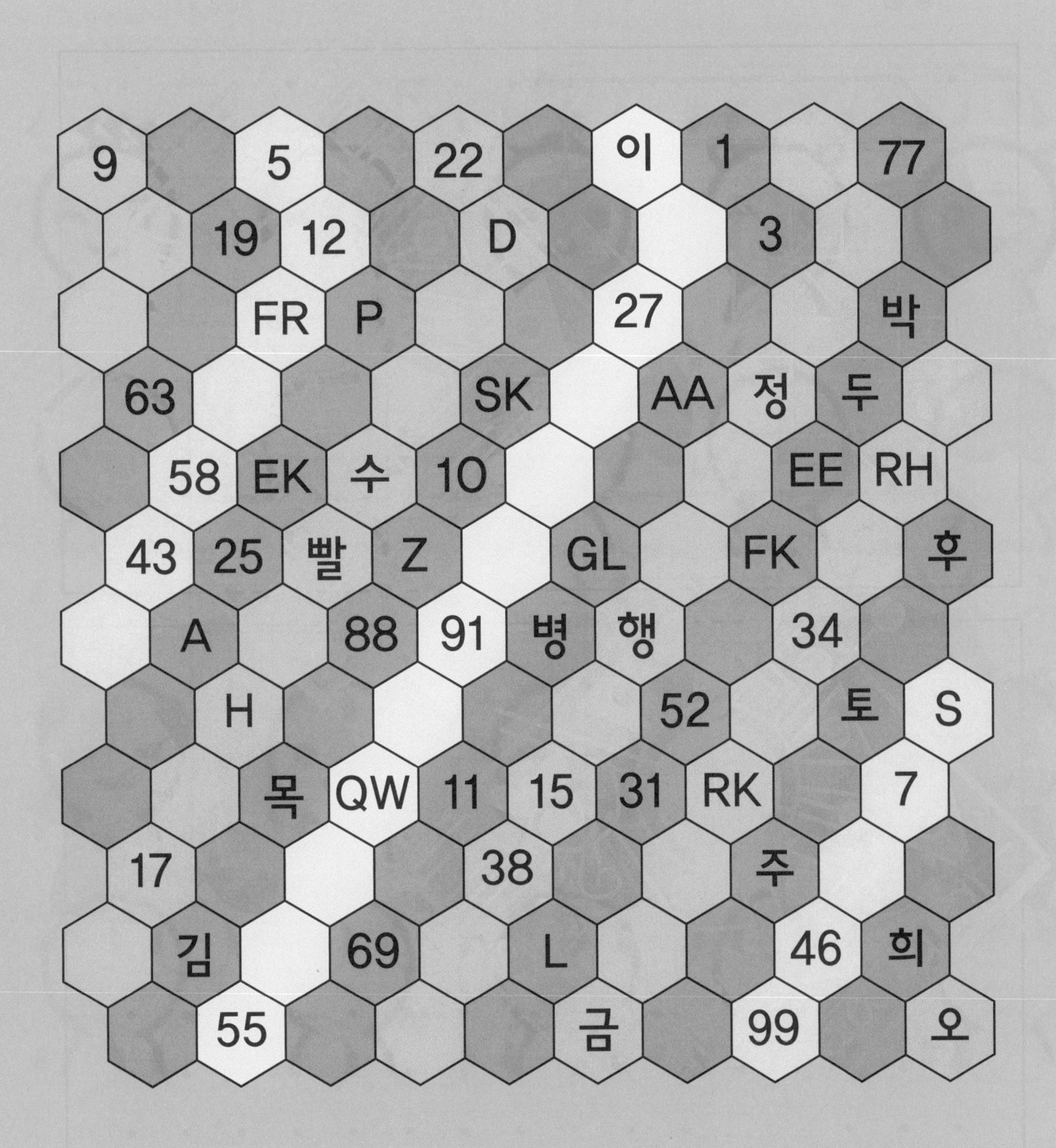

제 1 일
문제
1

같은 그림 찾기

월 일

주의 집중
시각적 내용 파악

세상에는 비슷한 모양의 것들이 많습니다. 하지만 자세히 보면 조금씩 다르다는 것을 알 수 있습니다. 어떤 것이 진짜 예시의 모양과 같은지 찾아보세요.

제 1 일
문제
2

틀린 그림 찾기

월 일

집중력/비교
변화 파악

틀린 그림 찾기는 누구나가 한 번 이상은 꼭 해 본 게임일 겁니다. 비슷한 그림이 위아래로 놓여 있습니다. 비교해 보면서 하나씩 틀린 그림을 찾아보세요. 틀린 곳은 모두 5곳입니다.

제 1 일
문제
3

사방팔방 그리기

월 일
위치/공간 파악
소근육 발달

네모난 거울은 왼쪽과 오른쪽이 서로 대칭을 이룹니다. 형상이 있는 쪽을 잘 보고 반대편에 똑같이 그려 주세요.

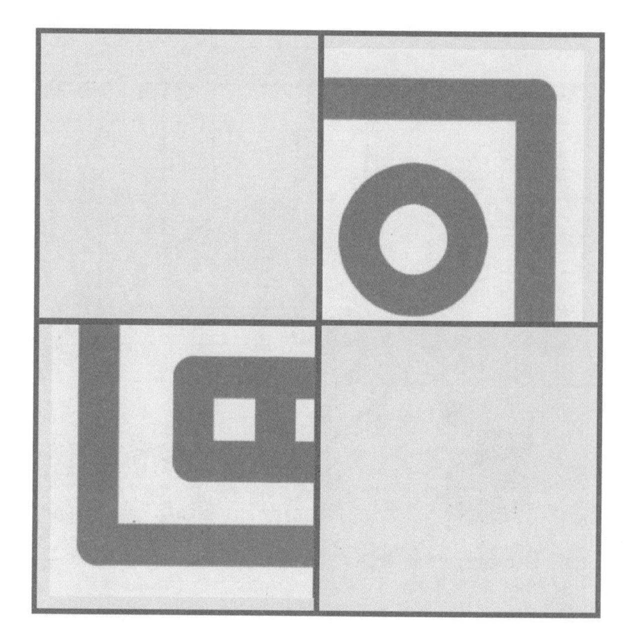

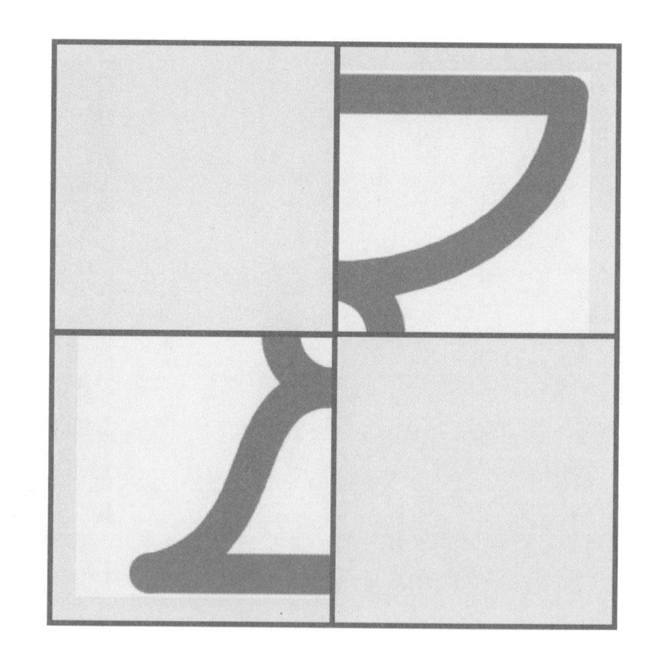

제 1 일
문제 4

그림자 찾기

월 일

시각 정보 수집
유추

빛이 있으면 반드시 그림자 생깁니다. 아래 그림 중에는 원래 모양이 빛을 받아서 생긴 진짜 그림자가 딱 하나 있습니다. 어떤 것이 진짜 그림자일까요? 튀어나오거나 들어간 모양을 잘 보고 찾아보세요.

제 2 일
문제
1

눈을 크게 뜨고 찾기

월 일

주의 집중
비교

다 똑같은 그림이라고요? 맞습니다. 딱 하나만 빼고요.
이렇게 많은 그림 중에서 단 하나의 다른 그림을 찾아보세요. 다른 모습을 하고 있는 원숭이는 어디에 있을까요?

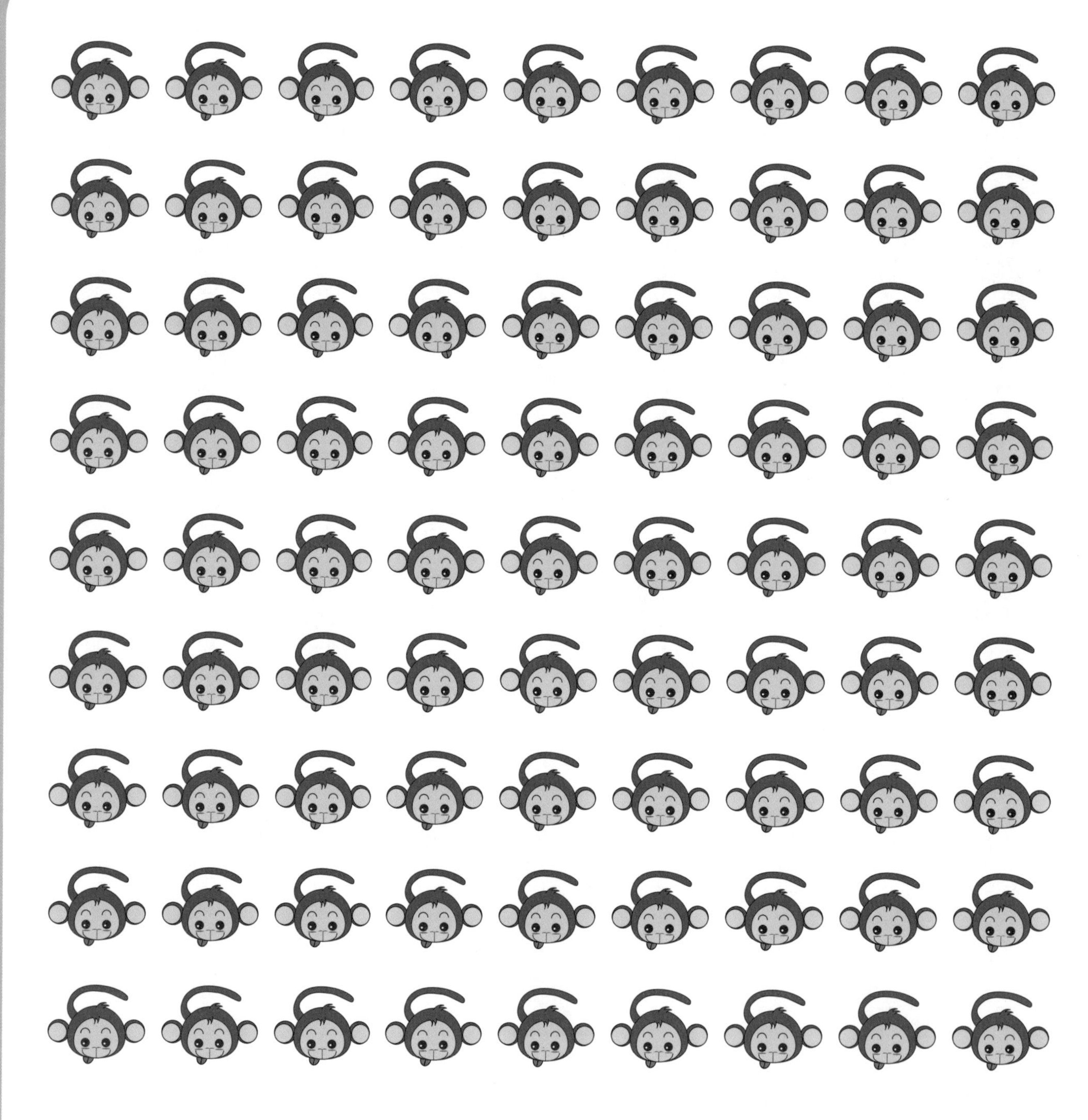

제 2 일
문제 2

모눈종이 따라 그리기

월 일

위치/모양 비교
소근육 발달

위쪽 모눈종이에 있는 기호를 아래쪽 빈 모눈종이의 같은 자리에 그대로 그려 주세요. 위와 아래가 똑같은 모눈종이가 될 수 있도록 제자리를 잘 찾아서 그려 주세요.

	❖				ꕥ		☎		◉
			⁂						⌂
⌘		✿	◘		◆	♧		◈	
		🗑		✠					
	☯		◇		☞		🕓		#

제 2 일
문제
3

바뀐 부분 찾아 쓰기

월 일

주의 집중
위치/모양 비교

위 그림과 아래 그림은 두 곳이 서로 달라요. 바뀐 부분을 찾아서 어떻게 달라졌는지 글로 표현해 보세요.

1

2

제 2 일 문제 4

빠짐없이 선 잇기

월 일

공간 파악
문제 해결

한붓그리기 해 본 적 있나요? 한 번 지나간 길은 다시 돌아가지 못합니다. 시작해서 끝날 때까지 한번에 빠짐없이 선으로 이어야 성공입니다. 빨간 점에서 출발해서 규칙대로 빠뜨리지 말고 선 긋기를 해 보세요. 생각보다 쉽지 않습니다. 천천히 길을 찾아보세요.

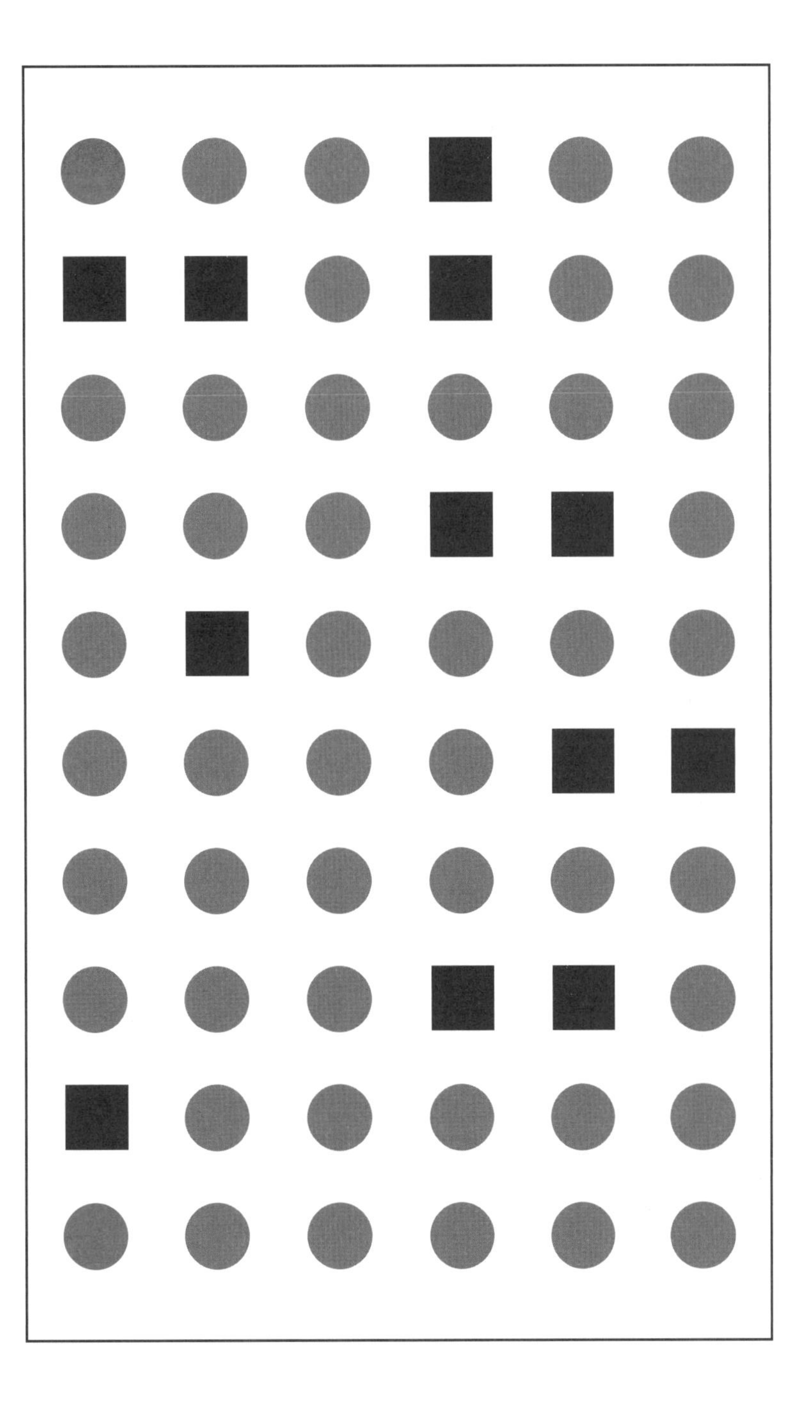

제 3 일 문제 1

그림그림 덧셈 뺄셈

월 일

시각적 내용 파악
계산

각각의 그림은 고유의 숫자 값을 가지고 있습니다. 그림을 더하거나 뺐을 때 나오는 값으로 각 그림의 값이 얼마인지 알아내어 마지막 문제의 답을 맞춰 보세요.

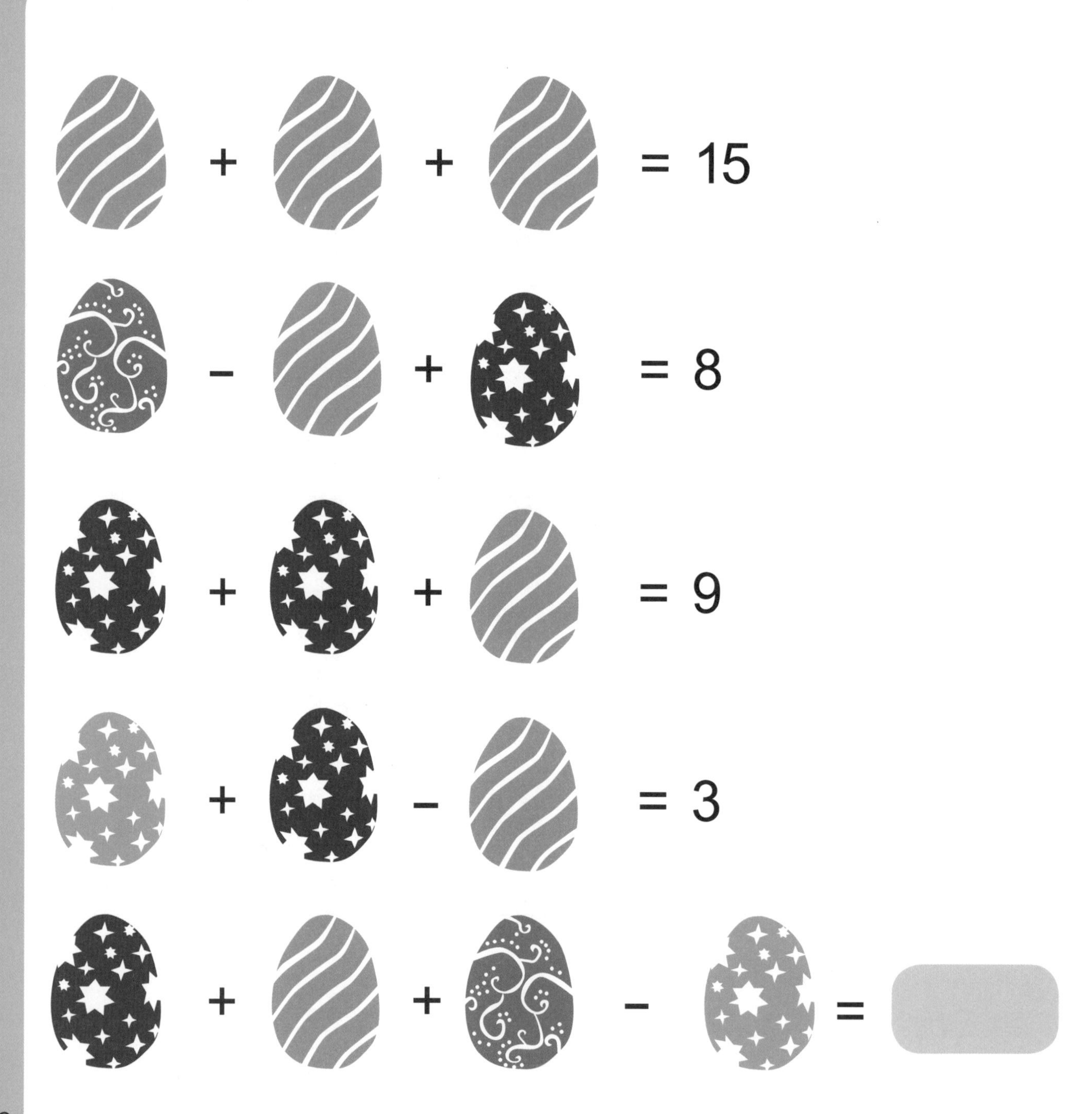

제 3 일
문제 2

사라진 그림 찾기

월 일

시각 정보 수집
유추

윗부분에는 있는 그림이 아랫부분에는 3곳 빠져 있네요. 과연 아랫부분에는 윗부분과 달리 어떤 그림이 빠져 있을까요? 윗부분에만 있는 그림에 동그라미 쳐 보세요.

제 3 일
문제
3

사다리 타고 친구 찾기

월 일
유추
문제 해결

일돌이와 친구들은 애견카페에 놀러 갔어요. 멋지고 귀여운 강아지들이 친구하자고 반갑게 다가오네요. 일돌이가 불돌이에게, 이순이가 점박이에게 갈 수 있도록 사다리타기에 선을 그어 주세요.

제 3 일
문제
④

장난감 화폐 계산하기

월 일

셈 하기
물체 인식

우리는 일상생활에서 다양한 종류의 지폐와 동전을 사용합니다. 자, 그럼 오늘은 장난감 화폐를 이용해서 은행놀이를 해 볼까요? 화폐의 앞면과 뒷면을 자세히 살펴보세요. 지폐와 동전을 합한 금액은 모두 얼마일까요?

원

제 4 일 문제 1

미로 찾기

월 일

공간 파악
문제 해결

이집트의 신 아누비스가 고양이를 찾아서 길을 나섰는데, 미로를 눈앞에 두고 있네요. 복잡한 길을 잘 선택해서 무사히 고양이를 데리고 오도록 도와주세요. 길을 잃어버렸나요? 걱정하지 마세요. 다시 천천히 도전해 보세요. 그럼 출발!

점선 잇기

월 일

수 세기
문제 해결

귀여운 토끼 그림이 있네요. 그런데 아직 완성된 것이 아닌가 봅니다. 여러분이 점을 따라 선을 그어서 그림을 완성해 보세요.
숫자 순서대로 차례차례 점을 연결해 보면 여러분이 예상한 그림이 만들어질 거예요.

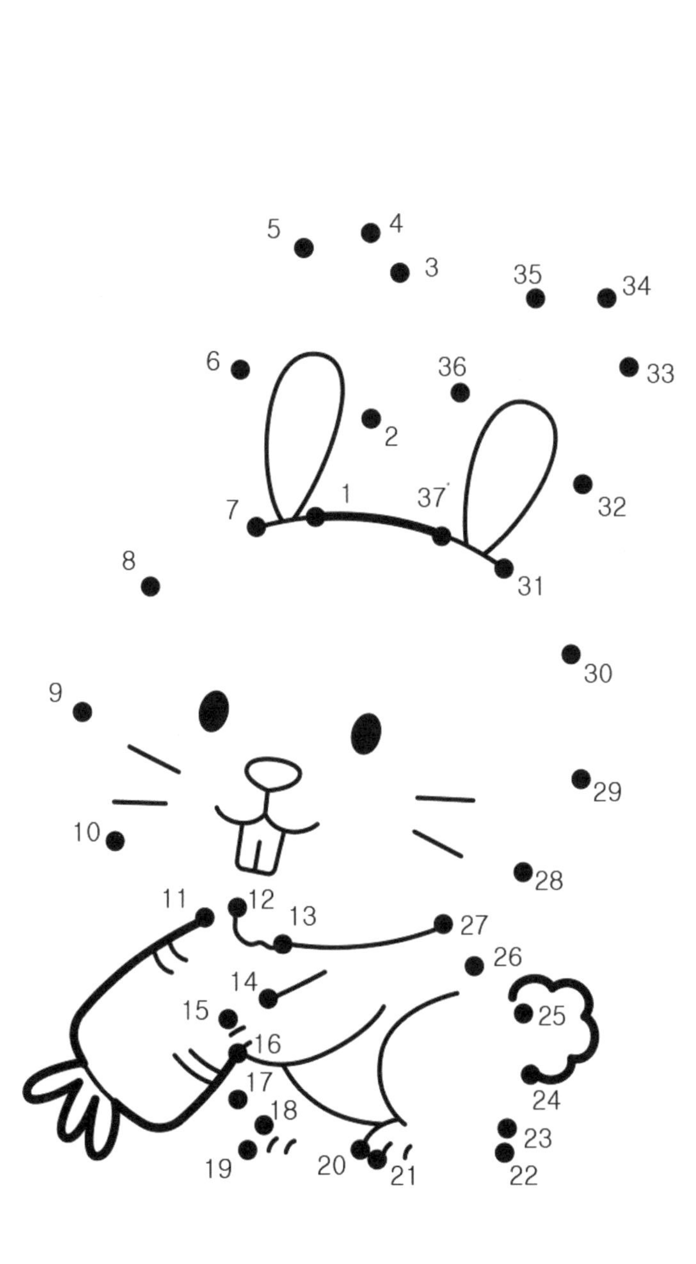

제 4 일
문제 ③

편하게 그려 보기

월 일

스트레스 해소
소근육 발달

볼펜이나 색연필로 밑그림을 따라 그림을 멋지게 완성해 보세요. 희미한 선들이 또렷해지면 완성된 그림을 만날 겁니다. 그냥 아무 생각도 하지 말고 편하게 그려 보세요.

제 4 일 문제 4

칠교놀이 조각 찾기

월 일

위치/공간 파악
조립

7개의 조각으로 이루어진 도형을 이리저리 움직여 여러 가지 형상을 만드는 놀이로 탱그램이라고도 합니다. 7개의 조각을 이렇게 저렇게 놓아 보며 문제로 주어진 형태를 만들다 보면 상상력이 풍부해지고 만족감도 높습니다. 여우 모양처럼 각각의 조각이 어떤 것인지 선을 그어 구분하고 번호를 써 보세요.

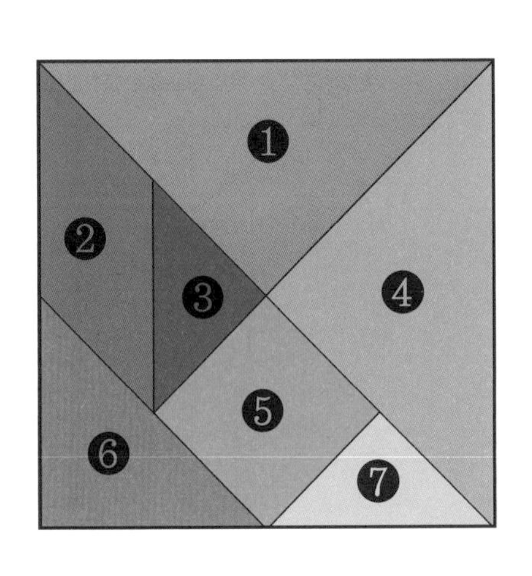

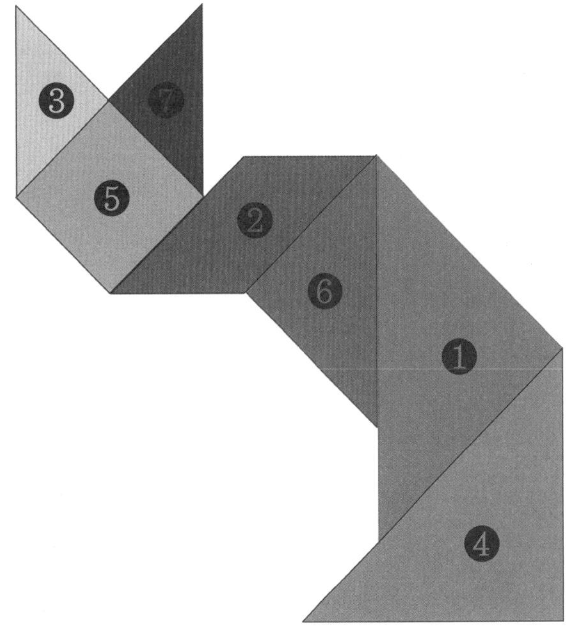

제 5 일
문제 1

다른 그림 찾기

월 일

주의 집중
비교

다 똑같은 그림 아닌가요? 정말 그렇게 생각하세요?
자세히 보면 딱 하나만 다른 모양이나 색깔을 가집니다. 빨리 찾으려다 보면 더 헷갈립니다. 찬찬히 잘 들여다보세요.

제 5 일
문제 ②

모두 몇 마리?

월 일

셈 하기
물체 인식

와! 정말 다양한 종류의 쥐들이 모여 있네요. 종류별로 몇 마리씩 있는지 세어서 적어 보세요. 세다가 헷갈리면 처음부터 다시 세어야 하므로 주의하세요!

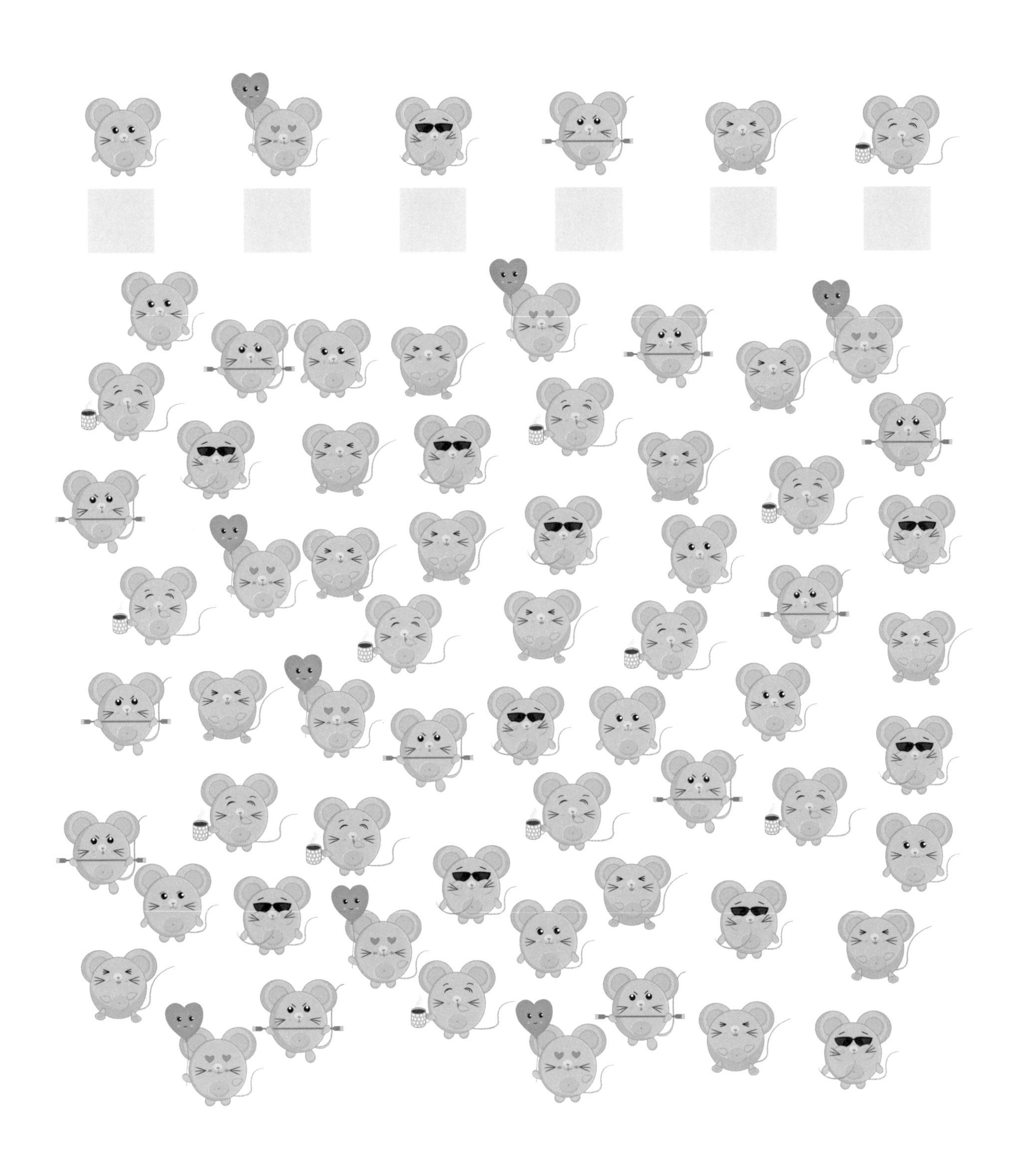

제 5 일 문제 3

요리조리 훈민정음

월 일

언어 분석
언어 조합

아래 주어진 자음과 모음으로 여러분이 알고 있는 단어를 만들어 아래 빈 칸에 써 보세요. 생각보다 많은 단어가 숨어 있습니다. 매일매일 다시 보아도 더 찾을 수 있을 정도랍니다.

ㄴ	ㅈ	ㅎ	ㄱ	ㅍ
ㄷ	ㄹ	ㅁ	ㅂ	ㅊ
ㅏ	ㅖ	ㅗ	ㅠ	ㅡ
ㅔ	ㅛ	ㅜ	ㅑ	ㅣ

예 호루라기

제 5 일
문제 4

똑같이 따라 그리기

월 일

공간 파악
소근육 발달

위의 그림을 보고 점과 선의 간격을 잘 파악해서 아래에 똑같이 그려 보세요. 전후좌우 방향과 선 길이에 주의하세요.

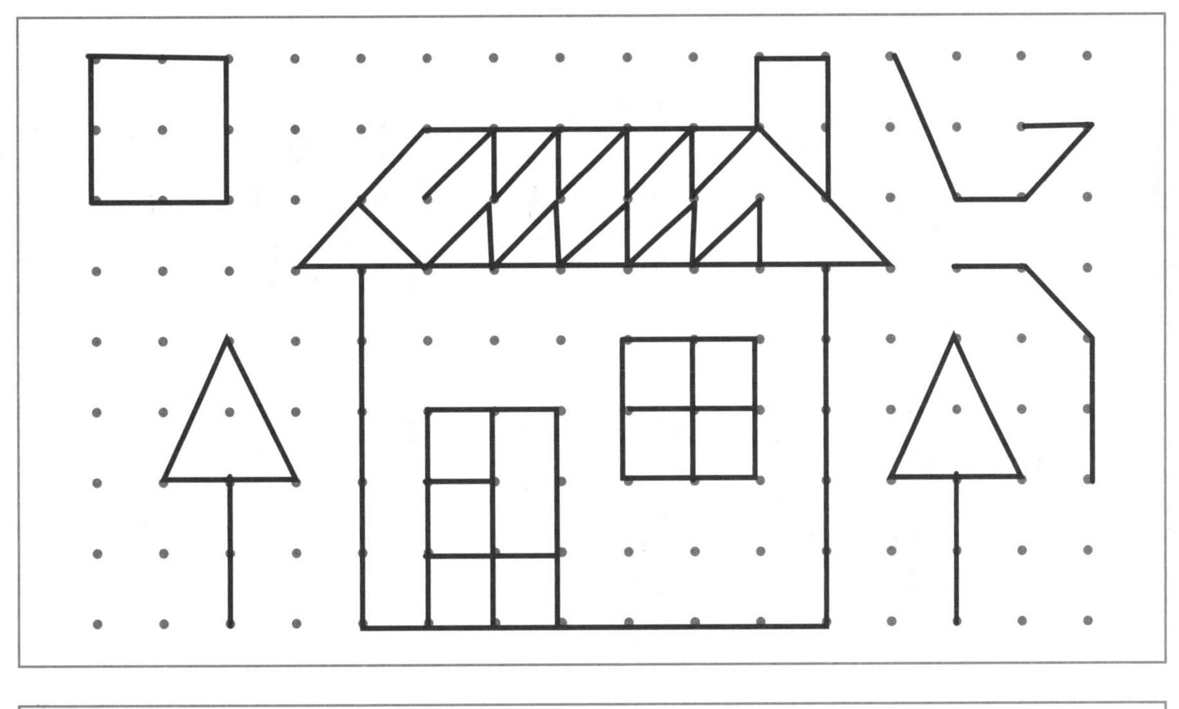

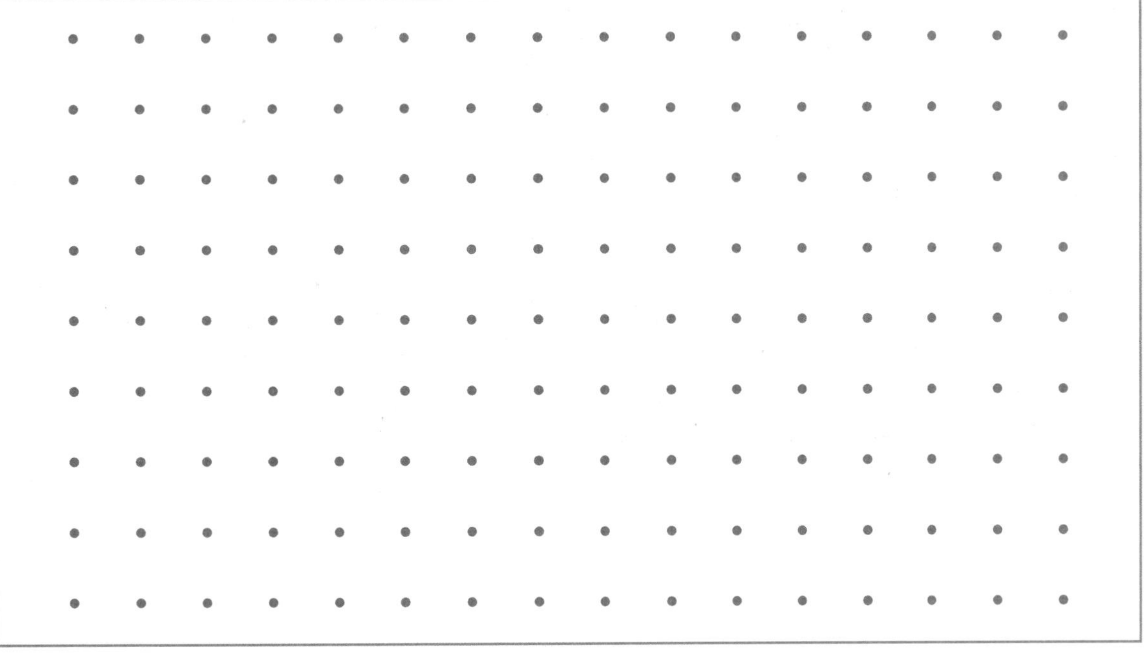

제 6 일 문제 1

얼굴 그려 넣기

월 일

시각적 내용 파악
소근육 발달

'동그라미 그리려다 무심코 그린 얼굴'이란 노래가사를 아시나요? 그 반대로 이번에는 그냥 동그라미만 있는 얼굴 모양에 위의 얼굴을 따라 그려 보세요.

제 6 일 문제 ②

원고지 따라 쓰기

월 일

위치 파악
소근육 발달

원고지에 글을 써 본 적 있으세요? 이제는 주변에서 보기 쉽지 않지만, 원고지 글쓰기를 하면 글자의 소중함을 알게 되고 주의 집중도 잘 된답니다. 위 원고지에 쓰인 글자를 잘 보고 아래 빈 원고지에 한 칸에 한 글자씩 또박또박 써 보세요.

악	한		일	을		행	한		다	음		남	이
아	는		것	을		두	려	워	함	은		아	직
그		가	운	데		선	을		향	하	는		길
이		있	음	이	요	,		선	을		행	하	고
나	서		남	이		빨	리		알	아	주	기	를
바	라	는		것	은		그		선		속	에	
악	의		뿌	리	가		있	는		것	이	다	.

유쾌한 마음일기

월 일

명상
스트레스 해소

오늘 하루 중에 있었던 기분 좋은 일을 자세하게 써 보세요. 기분 좋은 일은 한 가지일 수도 있고, 여러 가지일 수도 있습니다. 그 중에 제일 기분 좋았던 일을 기록해 보세요.

1. 어떤 기분 좋은 일이 있었나요?

2. 기분 좋은 일을 경험하는 동안 몸으로 느낀 감각을 자세히 기록해 봅니다.

3. 지금 마음일기를 쓰는 심정을 기록해 보세요.

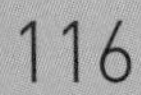

제 6 일 문제 4

겹친 블록 그려 보기

월 일

공간 파악
유추

가로 세로 5*5의 정사각형 안에는 두 가지 색 블록이 서로 다른 모양으로 공간을 차지하고 있습니다. 만약 위에서부터 아래로 밝은 색 블록을 더하거나 빼면 어떤 모양의 블록이 될까요? 빗금으로 표현해 보세요.

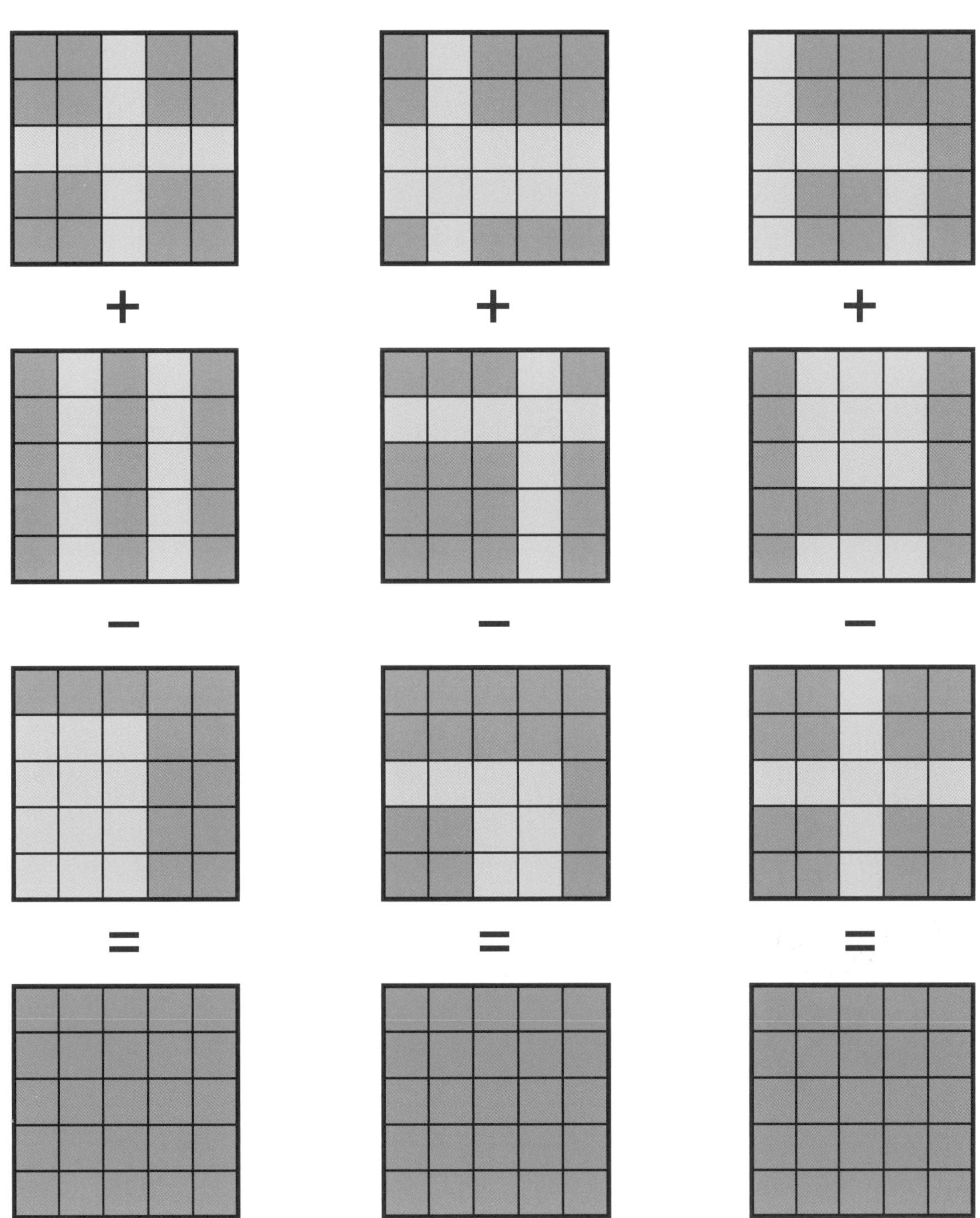

제 7 일 문제 1

벌집의 텍스트 찾아보기

꿀벌들이 벌집으로 꿀과 꽃가루를 가져와 저축합니다. 아! 그런데 자세히 보니 꿀벌들이 가져오는 꿀이나 꽃가루마다 해당하는 한글이나 알파벳 그리고 숫자가 있네요.

1, 34, 25, 17, 69, 31, 22, 46, 77, 5,
88, 12, 91, 10, 52, 55, 38, 3, 7, 9, 11,
15, 19, 27, 43, 58, 63, 99
A, RK, SK, EK, FK, RH, GL, QW, AA, D,
H, P, Z, EE, FR, L, S, 금, 토, 수, 목, 김,
이, 박, 희, 정, 두, 오, 빨, 주, 행, 후, 병

월 일

공간 파악
소근육 발달

자, 그럼 꿀벌들이 저축해 놓은 오른쪽 벌집 속의 한글과 알파벳 그리고 숫자를 왼쪽의 희미한 텍스트 입력창에서 찾아 그 위에 써 볼까요?

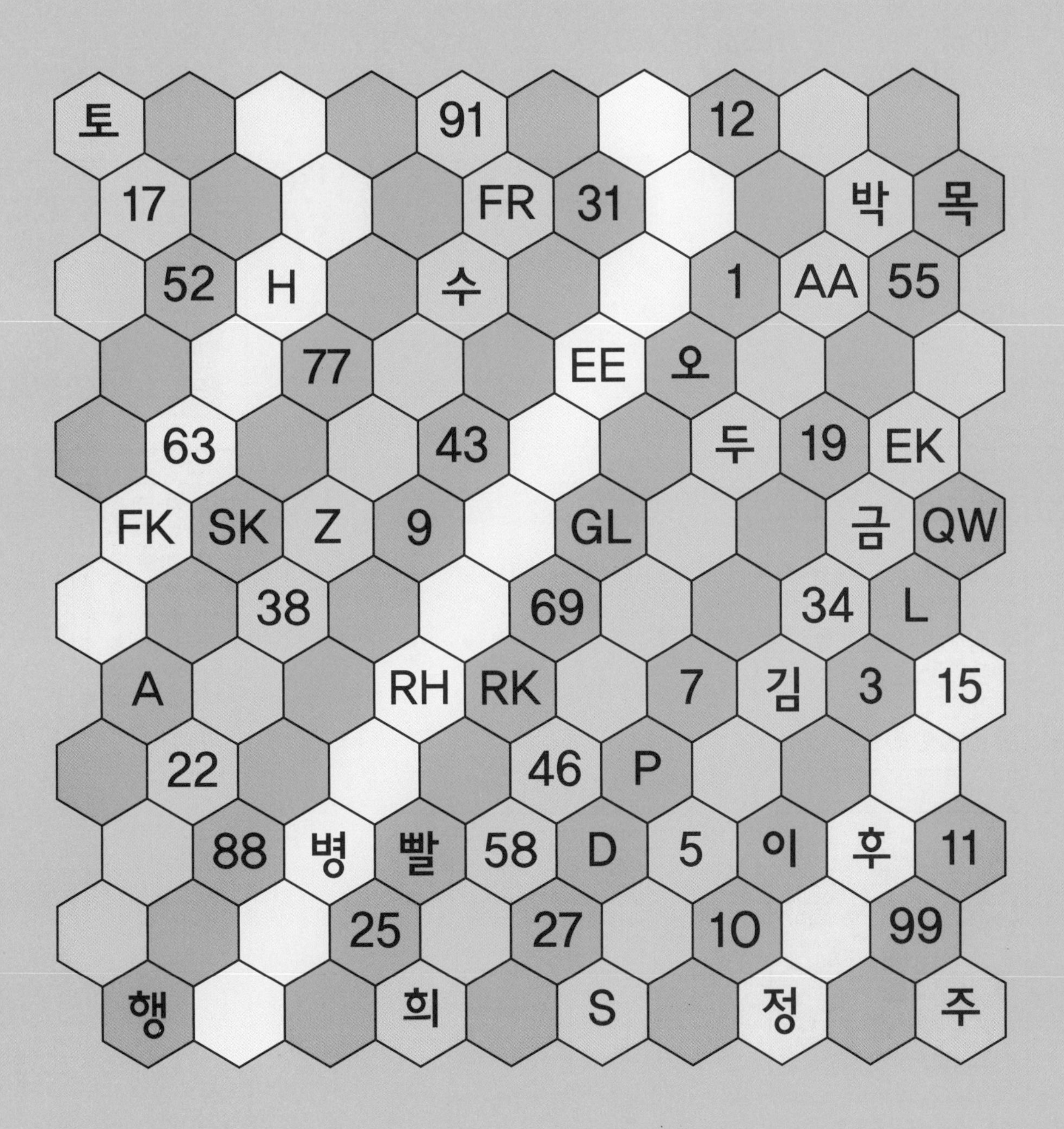

정답

23p.	30	**27p.**	143,530원	**33p.**	5, 7, 7, 5, 12, 10
50p.	17	**53p.**	135,130원	**59p.**	11, 9, 9, 7, 6, 9
76p.	10	**79p.**	193,990원	**85p.**	12, 12, 9, 8, 7, 8
102p.	12	**105p.**	198,830원	**111p.**	8, 7, 10, 11, 13, 11

16p.

17p.

19p.

20p.

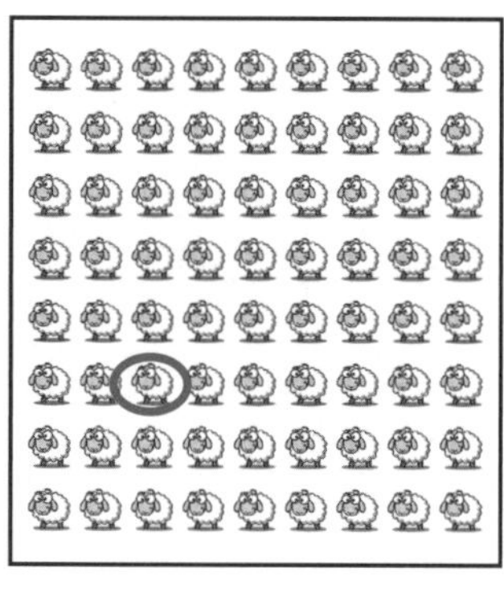

22p.

23p.

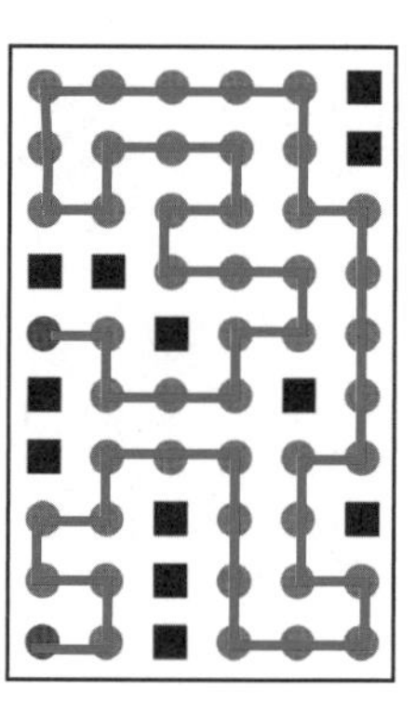

25p.

26p.

28p.

31p.

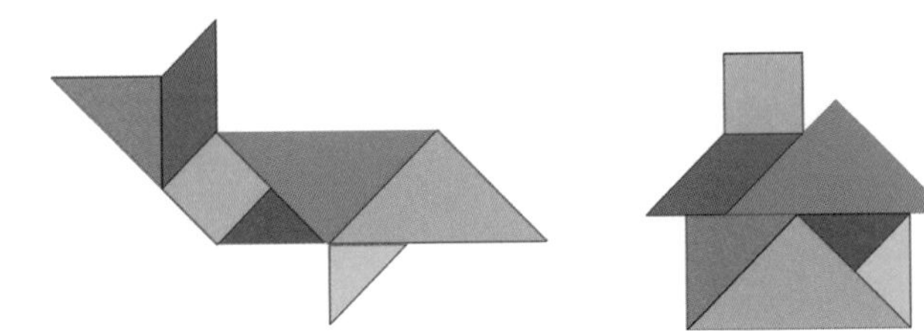

32p.

39p.

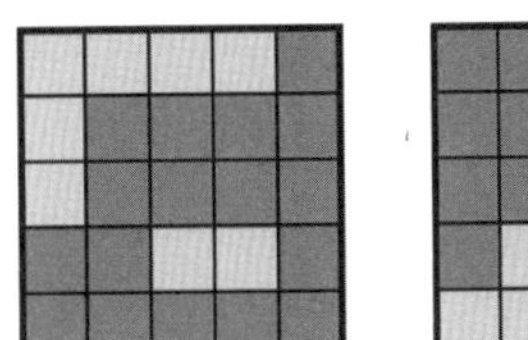

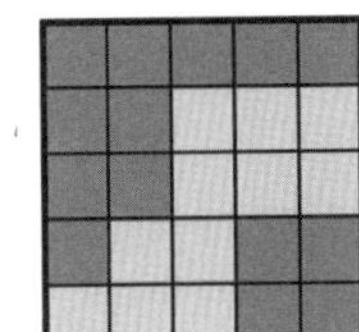

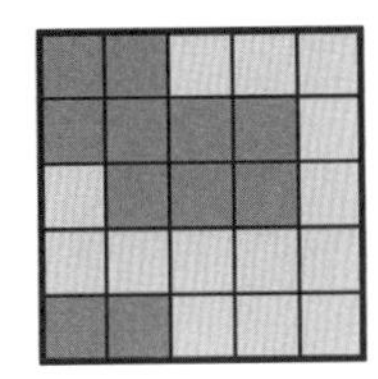

42p.

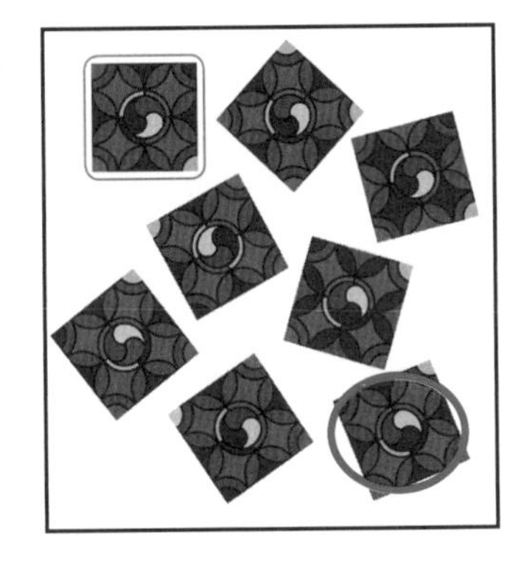

43p.

45p.

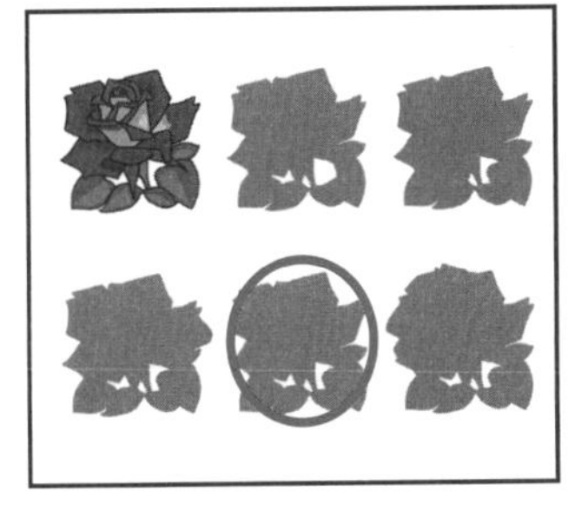

46p.

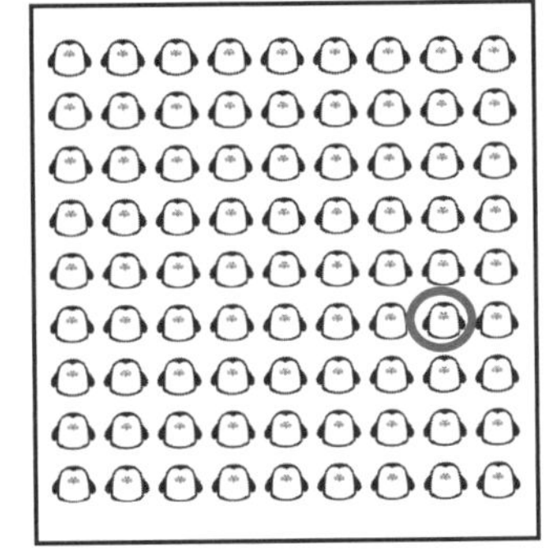

48p.

49p.

51p.

52p.

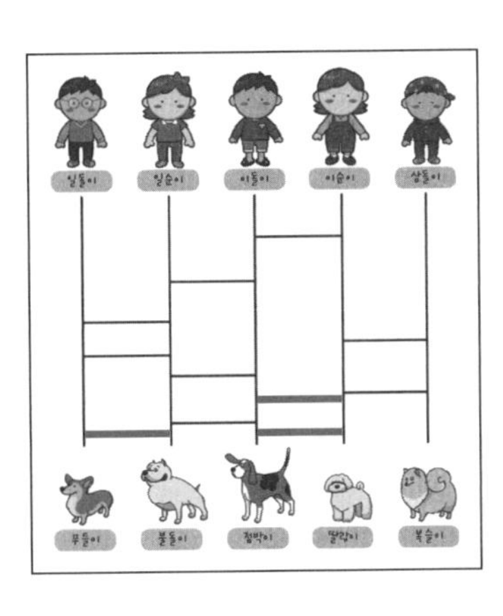

54p.

정답

57p.

58p.

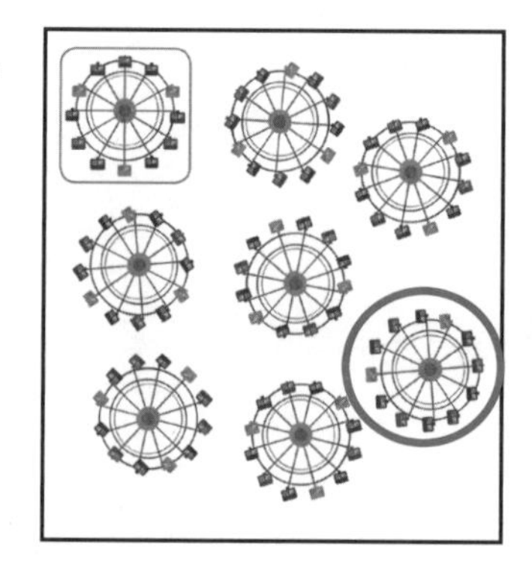

60p.

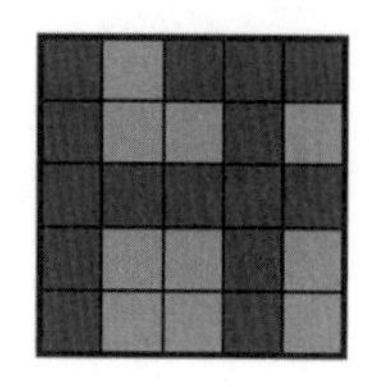

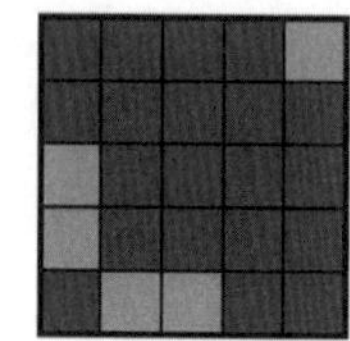

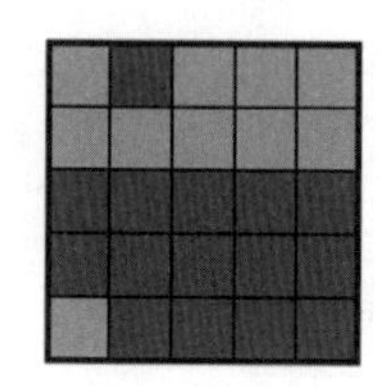

68p.

69p.

71p.

72p.

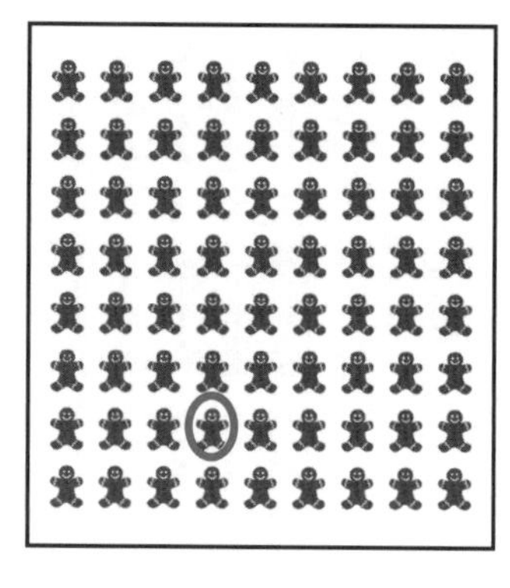

74p.

75p.

77p.

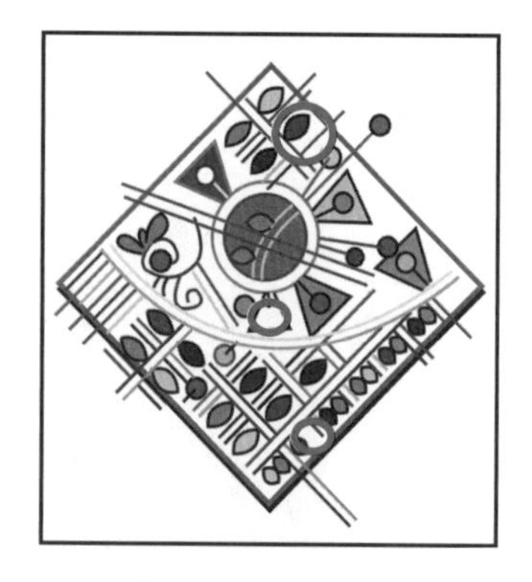

78p.

80p.

83p.

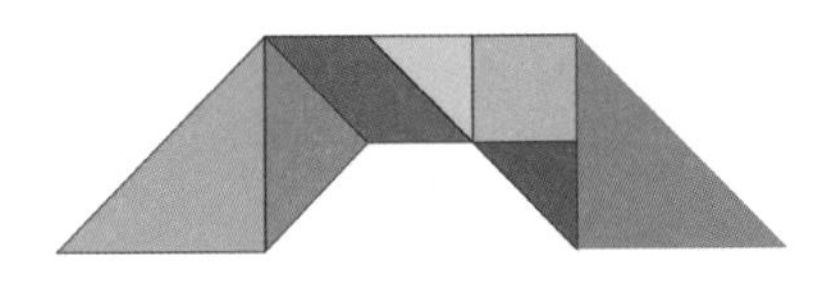

84p.

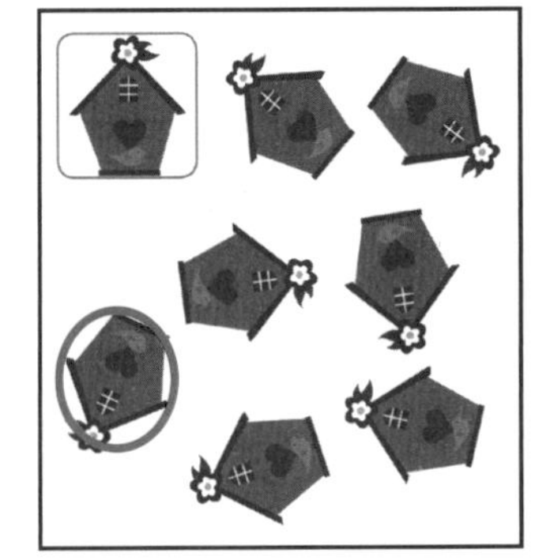

91p.

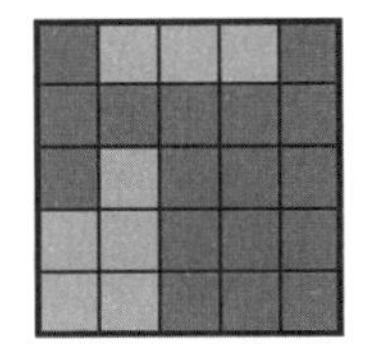

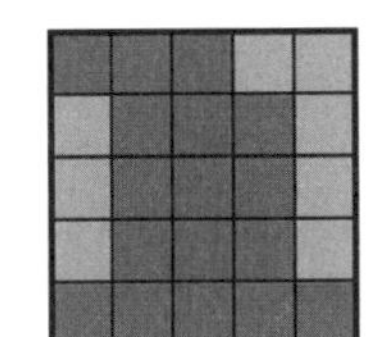

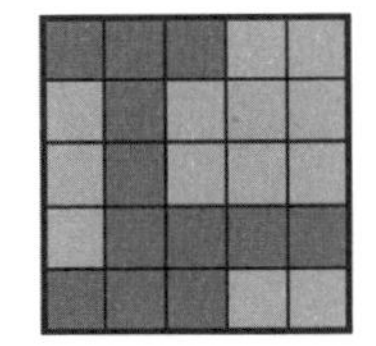

94p.

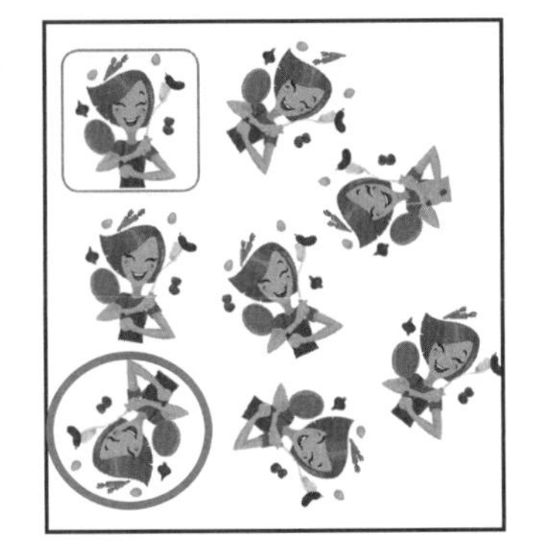

95p.

97p.

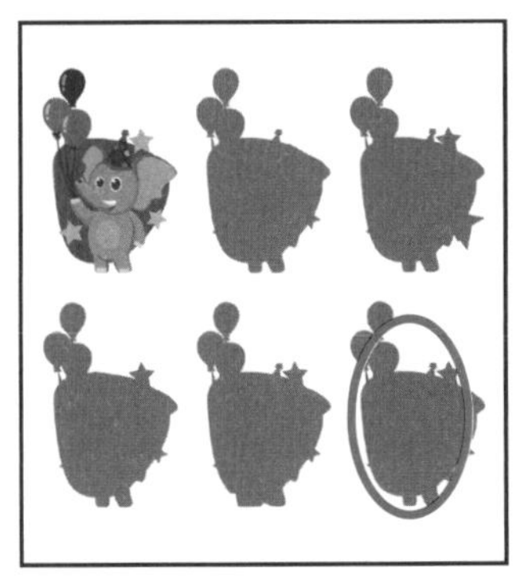

98p.

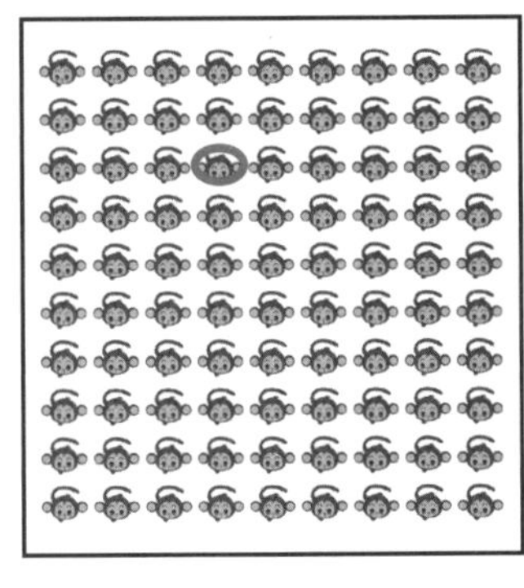

100p.

101p.

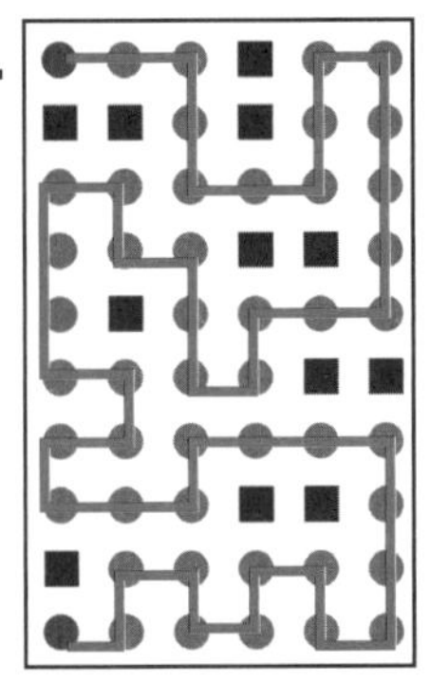

103p.

104p.

106p.

정답

109p.

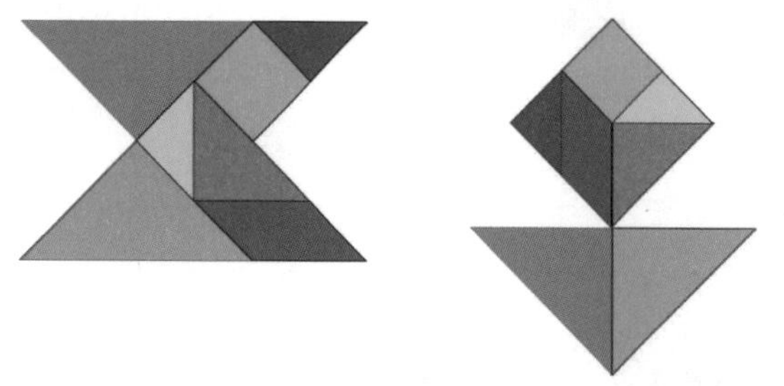

110p.

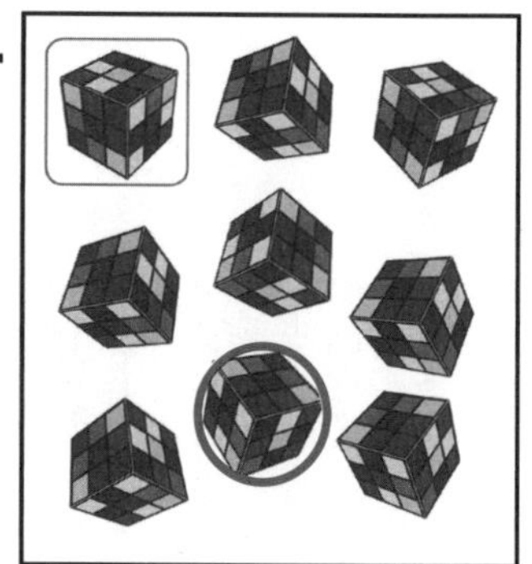

117p.

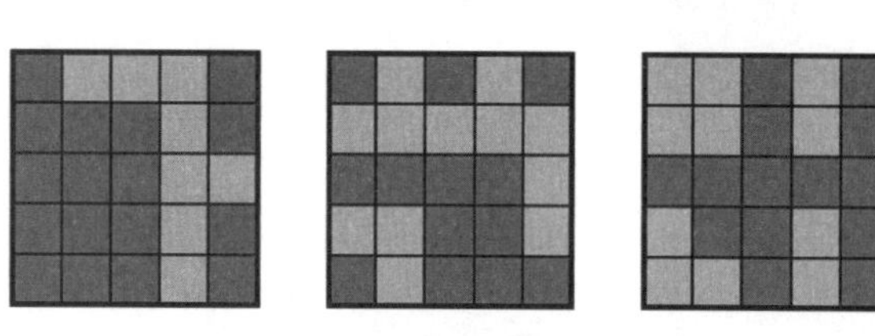